난징 이야기

남킹

https://brunch.co.kr/@wonmar

소설가. 남킹 컬렉션 #001 - #444 출간을 목표로 합니다.

스페인 알리칸테 거주.

발 행 | 2024-01-22

저 자 | 남킹

펴낸이 | 한건희

펴낸곳 | 주식회사 부크크

출판사등록 | 2014.07.15(제2014-16호)

주 소 | 서울 금천구 가산디지털1로 119, A동 305호

전 화 | 1670 - 8316

이메일 | info@bookk.co.kr

ISBN | 979-11-410-6792-2

본 책은 브런치 POD 출판물입니다.

https://brunch.co.kr

www.bookk.co.kr

남킹 이야기
브런치 스토리

남킹

목차

마르 데페스에게 이 책을 바칩니다.

남킹 컬렉션

인셉션

거친 땅이었다. 지글거리는 태양열은 대지의 구석구석을 찾아와 모든 것을 녹일 작정이었다. 닥터 조는, 모든 준비에도 불구하고, 자신과 동료가 고통받는 작금의 현실을 거의 예측하지 못한 안일함에 어느 정도 화가 난 상태였다. 그나마 다행인 것은, 행성 간 섹터 전진기지 KES에서 보내오는 항법 수신이 아주 정확하다는 것이며, 지금의 속도로 약 2시간 뒤면 목적지에 무사히 도착할 수 있다는 것이다.

해가 떨어지기 전에 말이다. 극상의 일교차를 나타내는 이곳 사막의 밤은 뼛속을 파고드는 추위로 악명이 높았다. 그리고 그는 지난 일주일 동안 그 사실을 뼈저리게 경험했다.

그가 다국간 환경오염 탐사대에서 이탈한 것은 열흘 전이었다. 사막횡단 프로젝트를 시작한 지 겨우 이틀도 되지 않은 시점이었다. 두 사람의 현지인을 긴 설득 끝에 채용하였다. 하지만 특수 수송 장비의 혜택은 애당초 기대할 수 없는 형편이었다. 결국 전통 방식을 택했다. 낙타를 타기로 했다.

목적지는 금기의 땅이었다. 누구도 발을 들이기를 꺼리는 두려움의 영역이었다. 낮고 높은 산이 번갈아 나타났고 구릉과 계곡, 절벽이 느닷없이 펼쳐지는 곳이었다. 그곳에서 살아 돌아온 자는 극소수였고 그들은 공포를 후세에 새겨 넣었다.

박사가 이곳에 관심을 가지게 된 것은 우연이었다. DNA 분석을 통한 가계 혈통 프로그램에서 놀랍게도 그의 조상이 나르히트 중앙 사막 출신이라는 사실이 밝혀진 것이다. 하지만 이 사막은 그 너비가 500만 제곱미터에 달하는 광대한 지역이었다. 오지의 땅이지만 수많은 유목민과 원주민의 터전이었다. 그가 단순한 호기심으로 무엇인가를 밝혀내기에는 너무 넓고 애매한 곳이었다.

하지만 운명의 고리는 우연으로 다시 나타났다. 그를 일깨운 것은 한 편의 자연 다큐멘터리였다. 사막의 가장 외진 곳. 타르고 지방의 한 원주민이 일컫는 지명이 그를 삽시간에 사로잡았다.

'메스 엔 투, 메스 엔 투' 그들은 높고 둥근 산들이 솟은 곳을 손가락으로 가리키며 그렇게 불렀다. 그리고 그들의 눈은 두려움으로 가득 차 있었다.

닥터 조의 본명은 하르히스 메스 엔 투 조였다. 수백 년 동안 적장자에게만 붙이는 중간이름이 메스 엔 투였다.

어린 시절 그는 자신의 이름이 길고 그다지 매력적이지 못함에 대한 불평을 아버지에게 토로한 적이 있었다.
아버지는 별일 아니란 듯이 싱긋이 웃으며 자신도 줄곧 그런 의문을 품었지만, 그 누구에게서도 시원한 설명을 들은 적이 없다고 하셨다.
그냥 전통이라고 하였다.

"아무튼 우리 가문에 누가 적장자인지는 알게 되잖아. 그리고 수백 년이 흘렀지만 대가 끊이지 않고 이어졌다는 사실도 알게 되고. 놀랍지 않니? 아마겟돈을 버텨냈다는 것도⋯. 그것으로 충분하지 않겠니? 중간이름이니 그다지 쓸 일도 없을 게고⋯"

****

삐 하는 소리와 함께 녹색 수신화면이 스마트 폰에 반짝거렸다. 도착을 알리는 메시지였다. 박사 일행은 걸음을 멈춘 채 잠시 사방을 둘러보기 시작했다. 평범했다. 돌과 흙, 계곡과 바람뿐이었다.

모든 것은 자연 그대로였다. 그리고 어떤 생명체도 눈에 띄지 않았다. 육체의 고통이 아무것도 아닌 것처럼 느껴지는 황망함이 그에게 찾아왔다.

'도대체 이게 뭐란 말인가? 바보같이…'

우연과 호기심, 조급함이 합작한 상실감이 삽시간에 그를 주저앉혀 버렸다. 그는 이제 손가락 하나 움직이기 힘든 것처럼 보였다. 안내인들은 눈치 빠르게 간이 텐트를 설치하고 불을 피웠다. 그리고 곧 해가 떨어졌다.

이윽고 또 다른 통증. 추위가 그의 몸을 찌르기 시작했다. 닥터 조는 몸과 마음이 모두 방전된 듯 널브러진 채 모든 고통에 노출되었다. 눈조차 뜨기 힘들 정도로 피곤하였지만 잠은 오지 않았다. 오히려 모든 감각은 날카로운 신경을 곤두세운 체, 거의 정지한 듯 움직이지 않는 시간 속에, 그를 갉아먹고 있었다.

그렇게 어느 정도의 시간이 흘렀을까? 문득 그는 자신이 어떤 규칙적인 파동에 몰두하고 있음을 깨닫게 되었다. 그건 틀림없이 안내인들의 코 고는 소리는 아니었다. 그렇다고 자신의 심장 소리도 아니었다.

가늘고 길게 캉 캉 캉 캉….

그건 규칙적인 반향음이었다.

그는 조용히 휴대용 공중음파 센서 장비를 꺼냈다. 그리고 둥근 달빛 속에, 무엇인가에 홀린 듯이 소리의 진원지로 끌려가기 시작했다. 돌부리에 넘어지고 차이기를 반복하며 그는 황량한 오지를 힘들고 외롭게 걸어갔다.
이윽고 낮은 구릉과 돌무더기가 나타났다. 그는 거의 기다시피 하며 안간힘을 다하여 한 발짝 한 발짝 움직여 나아갔다.

그리고 마침내 인조물을 발견했다. 사람 크기의 둥근 철문. 숨이 턱 하고 멈추었다. 마치 화성에서 외계인을 마주한 느낌이었다. 그는 그

자리에 반쯤 누운 채 깨알 같이 박힌 밤하늘의 별을 쳐다보며 가쁜 숨을 고르기 시작했다.

그렇게 날이 밝았다. 가느다란 햇살이 그에게 강한 온기를 가져다주었다. 순간 그는 지독한 졸음을 느끼며 눈을 감았다. 세상이 지나치게 빨리 도는 듯한 느낌이 들었다.

그가 다시 눈을 떴을 때는 이미 태양이 벌겋게 달아오른 뒤였다. 안내인은 그의 입에 조심스럽게 물을 넣어 주었다. 그는 서둘러 자신이 마주한 문을 살펴보기 시작했다. 격자 모양의 평범한 문양이 일정하게 새겨져 있었다. 하지만 어디를 봐도 손잡이는 없었다. 열쇠 구멍도 보이지 않았다. 다 같이 밀어 봤지만 꿈쩍도 하지 않았다.

다소 경박하다고 느끼면서 몇 가지 유명한 주문도 외쳐봤다. 물론 아무 일도 없었다. 그사이 기온이 급박하게 올라갔다. 덩달아 철문도 빠르게 데워졌다.

일행은 주위를 샅샅이 살피기 시작했다. 그는 문을 열 수 있는 아주 사소한 단서라도 찾을 수 있기를 바랐다. 하지만 아무것도 없었다. 마치 문짝 하나만 어느 날 뚝 떨어져 돌에 박힌 듯한 느낌이었다.

박사는 어쩔 수 없이 문을 다시 마주했다. 하늘 중앙을 차지한 태양은, 뜨거운 열기로 그를 태울 듯이 달려들었다. 서 있기조차 힘들었다. 그리고 이 문은, 이제 손도 댈 수 없을 정도의 뜨거움을 나타내는 붉은 기운으로 채워지고 있었다.

'이건 절망의 벽이야.' 그는 애초의 설렘이 급속도로 식어가는 자신을 애써 자위하며, 여기서 이제 돌아갈 수밖에 없음을 자신에게 다그치고 있었다.

바로 그때 안내인의 목소리가 들렸다. 그가 가리킨 곳은 문의 중앙이었다. 문 전체가 붉게 변색하였으나 여전히 검은 곳이 있었다. 손바닥만 한 크기의 원이었다. 그는 천천히 손바닥을 그곳에 대어 보았다. 이상하게 그곳만 서늘하였다. 그는 한여름의 바닷속에 있는 듯한 쾌적함이 순간 들었다. 그리고 마치 집에 온 듯한 안락함마저 느꼈다.

하지만 따끔거리는 통증이 그의 손을 급히 빼게 했다. 무엇인가에 찔린 듯 한 방울의 피가 손가락에 맺혔다.

그리고 몇 초가 지났을까?

엄청난 굉음이 쏟아져 내렸다. 마치 세상을 뒤집는 듯한 소리였다. 땅의 진동과 함께 둥근 철문이 서서히 옆으로 굴러가며 열렸다.

그러자 검은 구멍이 나타났다. 그리고 그곳에서 세상을 꽁꽁 얼린 만큼의 냉기가 뿜어져 나왔다. 그리고 익숙한 소리. 기계음이 들렸다.

그건 거대한 냉장고였다. 전체 벽면을 따라 대형 컴퓨터가 연이어 나타났다. 일행이 순차적으로 문을 열 때마다 방의 크기는 점점 커지고 넓어졌다.

그리고 마지막 문. 그곳은 끝을 알 수 없을 정도로 큰 지하 광장이 었다. 그리고 그곳을 가득 메운 것은….

그것은 모두 핵폭탄이었다.

그는 풀썩 주저앉아 떨리는 손으로 자신의 이름을 한숨 쉬듯 되뇌었다.

"메스 엔 투. 메스 엔 투."

그는 자신의 이름이 갖는 의미를 알게 되었다. 그리고 마지막 대 전쟁 후에도 그의 조상이 살아남은 이유를 비로소 깨닫게 되었다.

그것은 끝과 시작의 타르고 방언이었다.

종말은 그의 뿌리에서 시작하였다.

사랑 그 쓸쓸함
에 대하여

남킹 음악산문

남킹 컬렉션 #021

거리를
비워 두세요

남 킹 음 악 에 세 이

남킹 컬렉션 #020

죽음의 도시 1

사흘을 시 외곽에서 보낸 나는 지나치게 긴 터널을 빠져나와 감각이 향하는 곳으로 정처 없이 걷고 있다. 여전히 검은 바람이 날리는 날이다. 이곳은 <난다스>라고 알려진 도시이다. 그리고 다른 도시와 비슷했다. 흉물스러웠다. 모든 게 망가졌고 부서졌으며 약탈당하고 파괴되었다. 그리고 당연하게도 남아 있던 이들은 모두 흩어지거나 숨었다.

이것은 단순한 이해를 넘어선 것이다. 단 한 번도 겪어 보지 못한 일. 상상조차 못 한 미래가 현실이 되었다.

아직은 장막에 덮인 세상. 날은 더워지기 시작한다. 도시의 적막은, 그렁거리는 드론 소리와 작은 새의 지저귐으로 흔들렸다. 습기를 머금은 바람이 골목 사이를 누비고 다녔다. 도로는 젖었고 가랑비가 얼굴에 달라붙었다. 그리고 검은 연기가 스멀거리며 주위를 맴돈다. 코끝의 역한 내를 감지한 짐승들이 황급히 숨기 시작한다. 사방에 진동이 땅으로 스며들었다.

인간은 걷기 위해 태어났다.

한 모금의 물과 단백질을 찾기 위해 내 두뇌와 다리는 밀접하게 상호작용을 한다. 나는 천천히 발걸음을 옮기며 내 앞에 펼쳐진 폐허

속 작은 움직임조차 빨아들이듯 지켜본다. 극한의 생존 환경은 긴장을 극도로 올려놓는다.

모든 삶은 한순간의 방심으로 끝나버린다.

늘 그렇듯 버려지고 파괴된 길모퉁이가 나타난다. 성한 게 남아 있다면, 우리는 감히 3년 전에 있었던 일을 아포칼립스라고 부르진 않았을 것이다. 누구는 마지막 전쟁이라고 했고, 단지 선순환의 끝이므로 시작의 다른 이름이라고도 하였다. 아무튼 무엇이 되었든지 간에 우리는 거의 멸족하였고 남은 이도 빠르게 사라지고 있다.

도시의 인간은, 삶에 필요한 최소한의 얕은 숨을 쉬며, 심장을 뛰게 할 만큼의 영양분만 섭취하였다. 그 외의 시간은 그저 웅크린 채, 두려움과 긴장으로 하루를 보냈다.

계절의 변화는 썩어가는 땅속에서 비죽이 고개를 내미는 어린싹이나 서둘러 핀 야생화에서만 감지를 할 수 있었다. 그나마도 대부분은 씨를 맺기 전에 시들어 다시 오염된 땅으로 사라졌다.

비는 자주 오거나 한동안 오지 않거나를 반복하였는데, 우기와 건기를 구분하는 명확한 패턴은 그다지 분명해 보이지는 않았다. 그저 분명한 것은 연한 갈색에서 짙은 흑색의 비가 내렸다.

계절이 있긴 하였다. 무척 뜨거웠던 날이 사라짐을 피부로 느끼고 있었다. 하지만 여전히 한낮은 숨을 쉬기도 힘들 만큼 달아올랐다. 어쩔 수 없었다. 조상이 남겨준 유산은 후손에게는 선택의 여지가 없었다.

지금이 몇 년 며칠인지 아는 이는 지극히 드물었다. 알 필요가 없으니, 그저 낮과 밤이 교차하는 반복된 하루의 나열만 존재할 뿐이다. 나는 내가 얼마나 오랫동안 이 세상에 생존해 있는지를 알지 못한다. 그저 숨을 쉬고 있으니 살아 있다는 것뿐이다.

그리고 나는, 다른 모든 생존자처럼, 모든 것을 빨거나 흡입하고 다녔다. 비참한 현실은, 비록 순간적이지만, 환각으로 통하는 통로를 아무 거리낌 없이 넓혀 놓았다. 환각물질. 그것이 무엇이든지 간에 우리 시대의 화폐가 되었다. 모든 가치의 기준은 이제 약물에 있었다.

하지만 나는 이 도시로 오기 전, 모든 독약을 끊었다. 그동안 마약에 절은 내 몸은 나의 의지를 꺾기 위하여 극심한 고통을 선사했다. 나는 극복했다. 삶의 목적이 생긴 것이다.

나는 늘 아이 생각으로 가득하다. 고사리 같은 10개의 손가락과 발가락, 두 개의 귀, 눈, 코, 입. 어느 것 하나 비뚤어지지 않고 제대로 된 채였다. 하지만 아이를 볼 때마다 절망이 다가온다. 나는 지나치게 큰 욕심을 채우고 말았다. 하지 말았어야 했다.

종말의 시대에 자식이라니! 대체 무슨 생각으로 저지른 걸까?

아이는 언제나 바람을 피하여 몸을 웅크리고 있었다. 오염물질로 포화가 된 공기는 태양을 앗아갔다. 무너져 내린 담벼락, 앙상하게 그을은 나무들이 뒤엉켜있는 구석진 공간에서 아이는 늘 세상을 불안으로 바라보았다.

나는 무엇이든 닥치는 대로 사냥을 하거나 식료품을 찾기 위해 어디든지 뒤져야만 했다. 내게 아이는 욕구이자 사랑, 삶을 이어주는 희망이자 무겁기 짝이 없는 짐이기도 하였다. 하자가 없는 지극히 정상적인 아이 말이다.

그때부터 즐거웠던 일 기쁨이 충만했던 순간을 늘 기억하고 되새기는 버릇이 생겼다. 극도로 제한된 즐길 거리에서는 추억이 한몫을 담당한다. 나는 내 아이가 온전한 모습으로 태어난 순간을 늘 떠올린다.

그것만이 나를 걷게 했다.

센 강풍이 몰아치기 시작한다. 여의고 마른 생물들을 날릴 정도의 격한 바람들이다. 바람이 휩쓸고 간 자리는 이곳이 폐허의 도시라는 사실을 각인시켜 줄 정도로 선명하다.

귓전을 때리던 세찬 바람은 으르렁거리며 몰려다닌다. 양 사방에서 할퀴듯 대든다. 바람은 지친 낙엽과 해진 비닐을 그냥 두지 않는다. 기어이 들어 올려 먼지 속으로 던지듯 날리며 성난 소리를 내며 달려든다. 나는 비쩍 마른 손으로 눈을 가리고는 천천히 나아간다. 바람을 버티거나 혹은 잘 피하지 못하면 멸종의 세상을 살기가 힘들다.

이파리들은 뜨거운 열기에 말라갔다. 그리고 갈라진 아스팔트 사이로 올라온 풀들을 짓이기는 듯한, 심한 마찰을 느낄 수 있는 광풍이 불곤 하였다. 뻥뻥 구멍이 뚫린 앙상한 잡초들이 마지막 숨을 껄떡거렸다.

인간도 마찬가지였다. 여자는 죽은 자식을 먹어야 했고 빈약하게 나오는 젖을 남자에게 팔아야 했다.

나는 배낭에서 자그마한 빵 봉지를 꺼내 한 조각을 베어 문다. 이빨이 아플 정도로 딱딱한 빵이지만 나는 꾹꾹 씹으며 단물이 나올 때까지 삼키지 않고 입속에서 굴렸다. 절대로 몇 번 씹고 꿀떡 삼키면 안 된다.

이 한 조각으로 반나절을 견뎌야 한다. 우연히 내게 단백질 덩어리가 떨어질 확률은 사실상 제로에 가깝다. 적게 먹고 오랫동안 입속에서 음미하여야 한다.

이것이 얼마나 내게 큰 위안과 힘을 주는지…. 그것을 처절하게 느껴야만 한다.

배고픔이 주는 일상의 고통은 다른 정신적 고통을 사치로 바꾸어놓았다. 세상의 우울은 자신의 우울을 상쇄한다.

음식이 사라진 세상은 지극히 효율적이다. 이제 음식에서 찌꺼기라는 단어는 사라졌다. 찌꺼기가 있을 리가 없다. 아낌없이 모든 살 조각이 깨끗이 발라져 사라진다.

박테리아도 그걸 느낀다. 수명이 다한 생물은 지독하게 빠르게 썩어간다. 썩기 전에 모든 것을 내 배 속에 채워 넣어야 한다. 그렇지 않으면 몇 주 동안의 굶주림을 버틸 기력이 없어진다.

마지막 남은 기력. 먹을 것을 채집할 수 있는, 단 한 톨의 힘을 위해 몸을 돌보아야 한다. 이제 굶주림은 익숙하다 못해 편리하기도 하다.

부족함에 익숙해져야 한다. 하지만 부족하다고 해서 만족이 사라진 것은 아니다. 오히려 감격을 동반한 격한 만족을 느낄 때도 있다. 극단적으로 부족하지만 그래도 인간은 적응한다. 덜 원하고 덜 요구한다. 만족의 기대치를 내리는 것이다.

폐허가 주는 교훈이다.

거미줄처럼 가늘고 길게 얽힌 도로의 끝에 광장이 펼쳐졌다. 지친 발걸음이 맞닿은 그곳은, 한때 높고 빛나는 빌딩이 병풍처럼 타원형으로 둘러쳐져 마치 세상의 중심이 옮겨진 듯한 느낌을 받는 곳이었다.

나는 배낭에서 마른고기 한 조각을 떼어내 컵에 넣는다. 심하게 건조되어 공기처럼 가볍고 고유의 형태라곤 찾아볼 길이 없지만, 나는 탁한 물을 조심스레 컵에 부었다. 부정형의 단백질 조직이 검붉은 빛을 띠며 뒤엉킨 사슬을 풀어내듯 천천히 부풀기 시작했다. 그리고 역겨운 피 냄새가 솔솔 올라왔다.

나는 꾹 참고 손가락으로, 풀어진 고기 조각 한 점을 집어 입에 넣는다. 그리고 혀를 이용해 몇 개 남지 않은 이빨 사이로 고기를 몰아넣은 뒤, 조심스레 씹는다. 향긋한 행복이 올라온다.

나는 다시 걷기 시작한다.

남킹 컬렉션 #017

스네이크 아일랜드

1권

죽고싶지만 복수는 하고 싶어

남킹 판타지 스릴러

남 킹 판타지 소설집

하니은 매화

남 킹 컬렉션 #015

죽음의 도시 2

나는 무성한 풀 사이에 흐릿한 팻말을 마침내 발견했다.

'자비로운 자의 회당'

거의 반나절을, 이 폐허의 도시를 헤맨 끝에, 나는 비로소 쉴 곳을 찾았다는 안도감을 느낀다. 무거워진 발을 질질 끌고 검은 옻칠이 비교적 최근에 된 듯한 대문 앞에 도달한 나는 한숨을 쉬며 천천히 건물을 올려다봤다.
비록 처참하게 부서졌지만, 무척 높고 아름다웠다.

수천 년 동안 이곳은 신의 영역이었다.

수많은 교회, 수도원, 성, 궁전, 회관, 대학, 그리고 주택에 이르기까지, 죄지은 인간을 용서한 신의 영광을 표현하는 양식으로 건물들이 만들어졌다. 지금은 그런 하늘을 상상조차 할 수 없겠지만, 티 없이 맑은 날, 누군가 이 고딕 건축의 유물인, 하늘로 솟구친 첨탑과 스테인드글라스, 외벽을 장식한, 아름다운 대칭과 정교한 조각들을 본다면, 절로 감탄이 나와 성호를 그었을 거다.

'신의 축복이 그대와 함께…'

거친 곳이지만 잠을 자 두어야 한다. 몸뚱이가 잠을 요구한다. 나는 모포를 깐다. 그리고 조심스레 몸을 뉜다. 정적은 어둠처럼 긴장을 동반한다.

지친 몸으로 누운 자리는 다양한 종류의 불편함을 풍기지만 어쩔 수 없다. 항상 고단하다는 것은 아주 잠시나마 편안함의 행복을 극대화 한다.

삶의 고단함은 오히려 그 삶을 놓지 않으려는 욕망을 극단적으로 높인다. 모든 고통은 이제 <피할 수 없음>으로 다가온다. 그러므로 즐겨야 한다. 그렇지 않으면 도저히 견딜 수가 없다. 결국 견디고 버티는 것만이 남았다.

나는 잠을 사랑한다. 아니 어쩌면 현재를 살아가는 모든 피조물은 잠을 갈구하는지도 모르겠다. 잠 속에서 비로소 자유가 된다. 꿈속은 무수한 상황의 단절과 영속을 체험하지만, 그린데도 오직 하나, 절대 죽지 않는다는 장점은 근사하다.

그리고 나는 돔을 마음속에 그려본다. 그리고 소원한다. 꿈에서라도 볼 수 있기를….

죽음의 도시가 끝나는 지점. 마치 아마겟돈을 알기라도 한 듯, 반짝이는 13개의 반월형 돔. 이스트 펜타곤 지역. 오염물질 방지를 위한 거대한 방벽이 겹겹으로 쌓인 곳. 버려진 땅의 죽어가는 이들은 늘 이곳을 갈망한다. 모든 오염과 치명적인 방사선을 차단하는 곳.

소위 젖과 꿀이 흐른다는 극소수의 부자들이 거주하는 하베스트 프로텍터 돔. 아이의 생명을 지켜줄 유일한 대피처.

그들이 어떻게 세상을 파괴하고 어떤 의도로 종말을 계획하였는지는 관심이 없다. 나는 그저 내 아이가 그의 자연적인 수명이 다할 때까지 숨 쉬고 살아갈 수 있는 곳만 있으면 그만이다.

그러므로 나의 여정은 오로지 그곳이다.

****

나는 갑자기 눈을 떴다. 섬뜩함이 몸을 감싼다.

폐허의 도시에서 살아남으려면 감각이 예민해야 한다. 나는 몸으로 진동을 먼저 느꼈다. 뒤이어 소리를 들었다. 땅의 흔들림은 미세하지만 정확한 정보를 제공한다. 그리고 신속하다.

유기체는 죽어가고 기계는 섬뜩하리만큼 활발하다. 공포가 내려왔고 혼란과 반목이 뿌리를 내리고 약탈과 은둔, 반성과 냉혈이 공존한다.

셉터지역에서 울리는 둔중한 쇳소리. 세르지역을 순찰하는 용병대가 분명했다. 움직이는 모든 차량은 두꺼운 철갑을 두르고 앞뒤로 무장을 했다. 그들은 우선 강한 굉음으로 환기를 준다. 쥐들처럼 숨어들은 외부인들은 황급히 자리를 뜬다. 하지만 아직 식량을 구하지 못한 이들이 있다.

그들은 삶을 담보로 숨바꼭질을 하기 시작한다. 나의 유년 시절은 숨기와 달리기로 점철되어 있다. 그리고 수많은 질곡과 난관이 부딪쳐 만든 개인사는 무엇으로도 표현할 수 없는 슬픔을 동반하기 마련이다.

성장기 대부분을 폭력의 그늘에 지낸 나에게 남은 과거는, 내 몸뚱이에 새겨진 어그러진 그림이다. 거친 붓 그림의 용.

내 몸을 휘감고 내 삶을 관통하고 걸음걸음의 고통에 아로새겨진 족쇄. 염료와 황산바륨에 산을 녹여 만든 용액. 붓끝이 닿는 곳이 타들어 가며 새겨진 고통으로, 그 시절, 나는 타인을 오로지 증오와 폭력의 대상으로 치환하고 말았다.

헝클어짐 혹은 파괴에 대한 집착. 끝없는 갈증에 길듦 혹은 종속. 욕망은 즉흥적이고 짧은 속죄는 늘 타인으로 눈을 돌려 투영시켰다. 적어도 내가 난독증 치료를 받기 전까지, 종말의 시대를 살아가는 나의 행위는 반성이 없었다.

나는 해밀건 박사의 오픈에어칩을 뇌 속에 박았다. 대부분 환자가 치료 후, 칩 제거 수술을 받았음에도 불구하고 나는 평생 간직하고 있다. 간직했다는 말이 정확한 표현이다.

나는 내 생각이 글로 표현되는 장치를 이용하여 끊임없이 기록하고 또 기록한다. 글에 대한 애착이, 비로소 나를 과거로부터 단절시켰다.

하지만 신은 사람들의 오만과 함께 결국 영원히 사라졌다. 거친 폐허에 내몰린 인간은 애초의 야수로 돌아갔다. 그리고 세상에 널려있는 잿더미는, 재밌게도 모든 것을 평등하게 만들었다.

가치의 차이, 숭고함의 깊이, 고상함의 넓이가 떠나간 자리는, 처절한 생존 의식이 바람 속 비린내로 번져온다. 생존만이 유일한 목적이다. 한 톨의 쌀알이 우리의 신앙이 되었다.

그리고 나는 여전히 죽음의 도시에서 삶을 기록한다.

남킹 컬렉션 #013

남킹의 문장 2

언어의 마법사 남킹의 문장들

남킹 컬렉션 #011

1월의 비

남킹 감성 소설집

열한 번째 해

이야기

가우타 로터스가 미국으로 유학한 이듬해, 나탈리아는 영국 런던으로 떠났다. 그는 그녀가 오지에서 벗어나 도시의 삶에 적응할 수 있도록 재정적 지원을 아낌없이 하였다. 로터스 집안은, 파더스 후손답게 남아프리카 공화국에서 손꼽히는 부자였다.

그리고 이때부터 그들은 편지를 주고받기 시작했다. 주로 니콜라스의 예언에 관한 의견이었다. 하지만 점차 병들어 가는 인간과 사회에 대한 직관을 서술하기도 하였다. 이 편지의 왕래는 가우타가 죽기 전까지 80년간 지속되었다.

후일, 그들의 편지는 <나탈리아의 편지>라는 제목으로 출판되었는데, 30권에 달하는 방대한 분량이었다. <릴리안 나리>의 <호모 사피엔스 기록>과 함께 <포스트 아포칼립스> 시대를 서술한 대표적인 역사서가 되었다.

영국에 정착한 2년 뒤, 그녀는 옥스퍼드 대학에 입학하였다. 그녀의 전공은 기호학과 언어 철학이었다. 그녀는 자신의 운명을 어느 정도 짐작하고 있었다. 예언가의 자식으로 태어나, 아버지를 기록으로 남긴 그녀가 짊어진 숙명은, 바로 예언서의 완전한 해석이었다.

니콜라스는 늘 딸에게 다음과 같이 중얼거리곤 하였다.

"도대체, 내가 꿈에서 뭘 본 것인지 당최 알 수가 없구나. 이해가 안 되는 것, 투성이란다."

그도 그럴 것이 오지에 사는 가난한 농부의 눈에 뵈진 미래는 온통 의문으로 가득했을 것이었다. 그러므로 그의 표현은 모호하고 불분명했으며 왜곡되기까지 하였다.

나탈리아와 가우타는 최대한 많은 시간을 들여 예언서를 분석하고 그 정보를 공유했다. 한 가지 다행스러운 일은, 시간이 지남에 따라 그들이 해석한 사실과 실제 벌어진 사건을 직접적으로 비교할 수 있는 경우가 점점 늘어난다는 거였다.

예를 들면 이런 거였다.

'바다에 사는 고래가 육지에 나타났지. 가장 큰 생물이 예언해…

바다가 흔들리고 깊은 파도가 몰려와 집과 자동차, 배를 땅으로 밀고 가지…

하지만… 진짜 재앙은 따로 있지…

하나, 둘, 셋… 세 번 폭발하고 죽음의 도시가 다시 생겼지….

이후…. 계속될 거야…. 이번에는 가장 작은 생물이 사람들에게 경고하지….

매 열한 번째 해에는 죽음의 도시가 다시 생길 거야….

그리고 점점 커질 거야…. 도시가 나라로….

종말의 일주일까지…. 계속해서….'

그들은 2011년 3월 11일 동일본 대지진과 후쿠시마 원전 사고를 목격하면서 예언이 사실임을 확인할 수 있었다. 그리고 아직 다가오지 않은 매 열한 번째의 해를 추론하였다.

가장 작은 생물의 경고 : 가우타는 이것을 바이러스라고 생각했다.

그리고 2022년. 또 다른 죽음의 도시…. 나라….
그렇다면 2033, 2044, 2055, 2066….

<종말의 일주일>은 과연 어느 해인가?

리셋

Reset

남킹 SF 소설집

남킹 컬렉션 010

남킹 컬렉션 #004

심해
deep ocean

남킹 SF 장편소설

블라디미르와 그레고리 1

블라디미르가 도착한 뉴욕은 한겨울이었다. 그는 긴 여행의 피로가 축적되어 무척 핼쑥했다. 하지만 그는 눈앞에 펼쳐진 고층 빌딩 숲과 무수한 차량과 인파 속에 들뜬 가슴을 주체할 수가 없었다. 마침내 늘 그리던 자유의 도시에 그는 첫발을 내딛게 된 것이다.

그는 러시아 시골 출신의 뜨내기였다. 9 남매의 딱 중간이었으며 고등학교를 2년쯤 다니다 자퇴하고는, 동네 건달이 된 둘째 형을 따라 여러 지역을 돌아다니곤 하였다.

그들은 주로 중소도시 외곽의 가난하고 소외된 자들을 겁박하여 그다지 좋지도 않은 물건들을 팔고 다녔다. 그러던 어느 날, 블라디미르는 어느 젊은이를 사소한 시비 끝에 흠씬 두들겨 팼는데, 하필이면 그 녀석의 아버지가 전직 KGB 출신이었다.

결국, 그는 도망자 신세가 되었다. 하지만 이내 잡히고 말았다. 그는 2m나 되는 큰 키에 몸무게 140kg의 거구였다. 어느 누가 그를 처음 봐도 잊을 수 없는 모습이었다.

어느 한적하고 썰렁한 건물로 끌려간 그의 앞에는 2가지 선택 사항이 놓였다. 감옥 혹은 군 복무.

그는 사거리에 서서 신호등이 바뀌길 기다리고 있었다. 그때 갑자기 빌딩 숲 사이로 스치며 매서운 속도가 붙은 돌풍이 거리를 휩쓸며 불쌍한 행인을 덮치기 시작했다. 살을 에이는 칼 추위었다.

그때, 그의 앞에 무척 고급스러운 캐딜락 한 대가 멈추었다. 길을 가는 행인들의 시선이 일시적으로 차에 멈추었다. 그 또한, 눈이 시리도록 따가운 태양의 햇살을 반사하는 그곳을 직시했다. 이윽고 조수석 문이 열리고 검은 정장 차림의 젊은이가 황급히 내리더니 뒷좌석 차 문을 공손히 열어젖혔다.

그리고 그곳에서 나온 이는 놀랍게도 구부정하게 허리가 굽은 채 초라한 모습의 흑인이 내렸다. 그 순간 블라디미르 입에서 '쿡' 하고 웃음이 터져 나왔다.

"웃기게 생긴 흑인 녀석이구먼…" 그는 러시아어로 말하였다. 그리고는 그는 황당한 표정을 지으며 혀를 끌끌 차면서 옆을 지나갔다.

"어이!" 블라디미르가 한 열 발자국쯤 갔을까? 마치 자신을 호명하는 듯한 느낌이 들어 그는 돌아보았다. 흑인이 그를 빤히 쳐다보고 있었다. 뭔가 섬찟한 느낌이 들었다. 그래서 그는 애써 아닌 척하며 다시 뒤돌아서 걸음을 재촉했다.

"야! 러시아 촌뜨기!" 목덜미에서 다시금 목소리가 들려왔다. 러시아 말이었다. 순간 블라디미르는 촌뜨기라는 말에 불쑥 솟아나는 화를 내며 다시 돌아섰다.

"날 부른 거야? 이 검은 놈아!" 그의 말이 떨어지기 무섭게 캐딜락 주변에 있던 젊은이 3명이 그에게 거친 표정으로 성큼성큼 다가오기 시작했다. 그들은 주머니에서 검은 장갑을 끼더니 주먹을 휘두르기 시작했다. 뉴욕의 변두리라고는 하지만 여전히 지나가는 사람들이 있었다. 삽시간에 그들이 싸움 현장에 몰려들었다. 하지만 싸움은 눈 깜짝할 사이에 끝나버렸다.

세 명의 청년이 앓는 소리를 내면서 길에서 뒹굴고 있었다. 블라디미르는 특전사 출신이었다. 그리고 유아 전쟁(유럽과 아시아의 패권

전쟁)에서 3년 동안, 특수 공작원으로 근무하였다.

그는 상대방의 중요 부위와 눈을 차례대로 치고 찔러버렸다. 그러자 청년 한 명이 총을 꺼내 들기 시작했다.

"그만!" 흑인이 큰소리로 외쳤다.

"자네 이름이 뭔가?"

"블라디미르다. 너는 이름이 뭐냐?"

"아놀드라고 한다. 영어 할 줄 아나?"

"조금 할 줄 안다. 왜?"

"자, 이건 내 명함이다. 돈이 필요하면 언제든지 연락해라."

"지금 돈이 필요하다. 무슨 일자리냐?"

"수금원."

"수금원?"

"그래, 돈 받아내는 거."

"봉급은?"

"네가 얼마나 받아내는 나에 따라서…"

"좋다."

"그럼 지금부터 나를 보스라고 불러라."

"그래, 보스. 고맙다."

다음 날 블라디미르가 찾아간 곳은 작고 음침한 레스토랑이었다.

남 킹 컬 렉 션 # 0 0 1

그레고리 흘라디의
묘한 죽음

남킹 장편소설

버스 민폐녀

남킹 슬픈 이야기

남킹 컬렉션 #027

블라디미르와 그레고리 2

그곳에는 전날 그에게 당한 3명의 젊은이 외에 6명이 더 있었다. 간단한 통성명이 이어지고 그들은 각자 할당된 지역으로 뿔뿔이 흩어졌다.

블라디미르는 토마스라는 키 작고 말이 무척 빠른 녀석과 파트너가 되어 그의 차에 올라탔다. 그리고 한 30분 정도를 달려 그들이 맡은 구역으로 갔다. 그곳은 전형적인 할렘가였다.

건물 대부분이 낡고 초라했으며 거리에는 어슬렁거리는 부랑자들이 자주 눈에 띄었다. 그렇게 그는 조직폭력배 생활을 시작하였다.

그는 그곳에서 거의 2년 동안 수금원 생활을 하였다. 어느새 그는 영어에 능숙해졌고 뉴욕 생활에 적응하였다. 하지만 그동안 보스를 볼 수는 없었다. 아놀드는 감옥에 투옥되었다.

한편, 블라디미르의 파트너인 토마스는 영리하였다. 두목이 없는 틈을 타, 그는 블라디미르의 힘을 발판으로, 서서히 다른 사업에 발을 들여놓기 시작했다. 지극히 위험하지만, 큰돈을 벌 수 있는 것. 바로 마약이었다.

그들은 우선 플로리다 휴양지의 한 자그마한 나이트클럽을 인수했다. 그리고 라스베이거스의 스트립 걸들을 끌어들였다. 쇼는 화려하고 선정적이었다. 소문이 삽시간에 퍼졌다. 단시간에 플로리다의 명소로 자리를 잡았다. 그러자 그 일대의 갱들이 몰려들었다.

블라디미르는 그곳에서 그레고리를 알게 되었다. 그레고리는 코스타리카 출신 자동차 딜러였다. 하지만 자동차만 파는 것이 아니었다. 그는 돈이 될만한 모든 것을 닥치는 대로 팔아치웠다. 한마디로 판매의 신이었다.

그는 콜롬비아의 마약 카르텔과도 깊은 관계를 맺고 있었다. 그레고리는 갱들이 요구하는 것이 무엇이든지 간에 상관없이 팔았다. 그중에는 고가의 초고속 모터보트가 있다. 그는 중고보트를 헐값에 사들여, 고성능의 엔진을 부착하고 마약을 은닉하기 위한 비밀공간을 만든 뒤 비싼 값에 그들에게 되팔았다.

그는 단숨에 플로리다의 백만장자가 되었다. 그리고 그와 카르텔과의 관계는 이제 단순한 판매자와 고객을 넘어 동업자로 변해갔다.

이 시점에, 블라디미르와 그레고리의 만남은, 그들의 운명을 송두리째 바꾸어버리는 역사적인 사건으로 전개가 되기 시작했다.

우선, 그레고리는 잠수함이 필요했다. 갱들은 좀 더 은밀하게 마약을 미국으로 나르기 위한 운송장비가 필요했다. 잠수함이 안성맞춤이었다. 그는 러시아의 낡은 잠수함을 생각했다. 그레고리가 그의 생각을 블라디미르에게 털어놓자마자 블라디미르는, 그를 특전사로 보낸 전직 KGB 요원을 생각했다.

그들은 우선, 착수금으로 천만 달러의 현금을 갱들에게서 받았다. 그리고 KGB 인맥을 이용하여 부패한 러시아 관료를 구워삶기 시작했다.

그로부터 1년 뒤, 그들은 폐기 직전의 러시아 잠수함들을 싼값에 넘겨받았다. 그리고 미국 망명을 원하는 러시아인 선장, 선원, 기술자들을 모집했다.

어느 화창한 봄날, 1대의 핵잠수함과 2대의 구형 잠수함, 그리고 각종 군수물자와 러시아 선원들의 가족을 태운 여객선은 블라디보스토크항을 출발하였다. 그들은 콜롬비아에서 1년 정도 인수인계 작업을 한 다음 미국 플로리다로 비밀리에 입국하여 각자의 삶을 살기로 예정이 되어 있었다.

그들이 출발한 날짜는 2066년 6월 1일이었다. 그리고 그들이 태평양 한가운데를 유영하고 있는 사이 **아마겟돈**이 시작되었다. 블라디미르는 실시간으로 긴급 속보를 받고 있었다. 그리고 이미 그들의 도착지는 더 이상 살 수 없는 아비규환으로 변모한 영상을 생생히 지켜보고 있었다. 뭔가 결단을 내려야 할 시점이 왔다고 그는 느꼈다.

그는 각 책임자를 불러 모아 결론을 낼 때까지 기나긴 회의를 하기 시작했다. 그리고 마침내 태평양의 한 섬에 정박하여 사태의 추이를 지켜보는 것으로 결론을 내렸다. 그들은 폴리네시아로 향했다.

그들은 비교적 폴리네시아에 가까운 위치에 있었으므로, 다른 배들에 비해 상대적으로 일찍 도착할 수 있었다. 그들이 도착하고 연이어 피난민을 태운 배들이 속속들이 들어오고 있었다.

블라디미르 일행은 우선 폴리네시아 대통령을 만났다. 사실 어마어마한 군사 장비를 갖춘 상태이므로 진작에 그들의 입항 소식은 대통령의 귀에 들어간 상태였다.

그레고리는 장사의 귀재답게 회유와 협박, 당근을 적절히 제시하기 시작했다. 그리고 사실상 그들이 회의를 진행하는 동안에 무차별적으로 배들이 들어오기 시작하면서 통제 불능 상태가 되어버렸다. 사실상 무정부 상태나 마찬가지였다.

이때를 틈타 블라디미르는 가장 경비가 삼엄한 대통령 궁을 접수했다. 실질적인 쿠데타였다. 그리고 발 빠르게 정계를 휘어잡기 시작했다. 우선 난민 중에 건장한 젊은이를 뽑아 자체 군을 만들었다. 그들에게는 무엇보다 많은 혜택을 줌으로써 이 소식은 삽시간에 섬에 퍼졌다.

많은 지지 세력이 몰려들었다. 결국 블라디미르는 배들의 무덤이라고 일컬어지는 이곳의 실질적인 지도자가 되었다.

이후, 블라디미르의 힘, 토마스의 영리함 그리고 그레고리의 협상 능력은 아마겟돈 이후, 혼탁한 세상의 패권을 다투는 가장 두려운 존재로 발전하기 시작하였다.

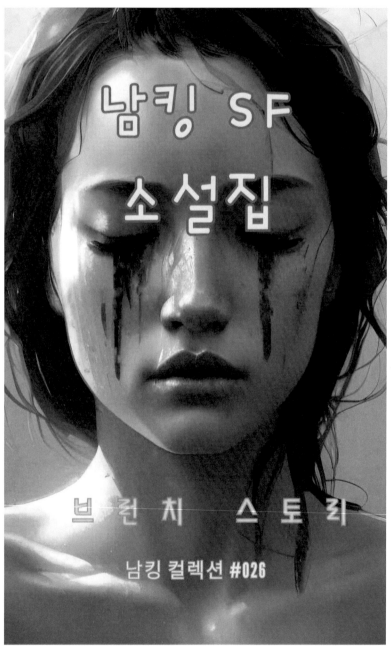

남킹 SF
소설집

브런치 스토리

남킹 컬렉션 #026

서글픈 나의 사랑

남 킹 장 편 소 설

남킹 컬렉션 #025

남극 돔

내행성 안전 총괄 책임자이자 비상 대책위원회 위원장을 맡은 샘튼 시바트가, 지구로 급하게 파견하여야 하는 이유는 극비사항이었다. 그는 남극에 도착하고서야 상황의 심각성을 깨달았다. 그의 앞에 펼처진 3D 화면은, 얼핏 보면 위성에서 촬영한 넓은 평야를 옅은 회색으로 덧칠한 뒤, 깨알 같은 점을 찍어 놓은 듯하였다. 하지만 줌스틱으로 점점 확대하자, 그 점들은 모두 반원형 모양의 돔으로 바뀌었다.

"모두 999개의 크고 작은 미확인 건축물을 확인하였습니다. 최초 발견에서 6일 동안 광범위 초정밀 스캔으로 얻은 결과입니다." 긴급회의를 주관하는 한닐 박사는, 각 점에 표시된 숫자의 마지막을 가리키며, 불안한 눈빛으로 참석자를 둘러봤다. 그리고 말을 이어갔다.

"모양은 모두 똑같습니다만 크기는 다양합니다. 작게는 대략 지름이 100m에서 크게는 2km까지 됩니다. 색상은 모두 검은색이고, 출입구로 판단되는 표시는 아직 발견되지 않았습니다."

"그러니까 이 모든 조형물이 남극 빙하 속에 숨겨져 있었단 말인가요?" 샘튼이 조급하게 질문을 던졌다.

"네, 그렇습니다. 평균 빙하 두께 1.8km 속입니다. 그리고…."

"이게 가능한 일인가요?"

"…" 샘튼의 질문에 박사는 잠시 침묵을 지켰다. 그리고 심각한 표정으로 말을 이어갔다.

"현재…. 인간의 기술로는…. 아무래도…. 힘들 것입니다. 빙하를 뚫고 톰을 만드는 일은…. 도저히…."

"그렇다면?"

"지금까지 어떤 것도 단정 지을 만한 단서가 발견되지 않았습니다. 지속적인 연구가 필요합니다. 그것도 아주 오랫동안…."

"전혀 단서가 없는 거요?" 샘튼은 마른침을 한번 꿀꺽 삼켰다.

"원반이 있습니다."

"원반?"

"네, 모든 돔의 정중앙에는 지름 3m 정도의 원반이 새겨져 있습니다. 마치 파이스토스 원반 (Phaistos Disc)을 보는 듯한 느낌입니다."

"파이스토스 원반? 알 수 없는 이상한 기호들이 그려져 있는 미스터리 한 그 원반 말인가요?"

"네, 다음 화면을 보시기 바랍니다." 박사는 연구원들이 그동안 촬영한 각 돔의 원반 사진을 번갈아 가며 보여주기 시작했다.

검은 바탕에 붉은 글씨의 기호들이 중앙을 중심으로 일정한 간격으로 표시가 되어 있었다.

"현재 30개의 돔 원반 사진 촬영이 수행되었습니다. 앞으로 한 달 정도면 모든 돔의 원반 정보를 확보할 수 있을 것으로 판단이 됩니다."

"무슨 뜻일까요? 이 원반들…."

"아직은…. 전혀…. 전 세계 유명 기호학자들에게 이미 문의는 한 상태입니다. 하지만 누구도…."

"돔의 내부는 파악이 되었나요?"

"전혀 뚫리지 않습니다."

"어떤 장비로도?"

"네, 어떤 것도···. 심지어 폭파도 되지 않습니다. 게다가 돔을 감싸고 있는 빙하를 방사성-크립톤-연대 결정법으로 분석해 본 결과 80만 년으로 추정이 됩니다. 아무래도 이 세상 것은 아닌 것 같습니다···."

"음···." 샘튼은 신음과 가까운 한숨을 내며 머리를 천천히 젖히기 시작했다.

"그래서 지금으로서는 이것의 정체를 알 방법이 전혀 없다는 것인가요?"

"제 생각으로는···. 원반의 기호를 해석하는 방법밖에 없을 듯합니다."

* * * * * * * * * *

그로부터 2개월 뒤, 전 세계 암호 관련 사이트에는 총 999개의 돔 원반 사진이 실렸다. 그리고 이것을 해석하는 사람에게는 범 태양계 행정처에서 천만 달러의 상금을 지급하는 것으로 알려졌다.

그리고 석 달 뒤, 암호 관련 모든 잡지에 돔 사진이 실렸다. 상금은 오천만 달러로 늘어났다.

그러던 어느 날, 서번트 증후군을 앓고 있는 10살 소년 사이먼은 잡지를 보며 혼잣말로 중얼거렸다.

"우주 쓰레기 저장소 546호. 매우 위험. 관계자 외 출입 금지"

길에 내리는 빗물

빗물

남 킹 소 설 집

남킹 컬렉션 #024

알리칸테는
언제나 맑음

남 킹 에 세 이

남킹 컬렉션 #023

럭키맨 우들스 1

전쟁이 끝났다. 그리고 황폐함만이 남았다. 인간은 사라졌고 도시는 파괴되었다. 차들은 멈추었고 도로는 잡초로 뒤덮었다. 붉은 모래바람이 끝없이 불었고 황색 비가 섬시간에 흙먼지를 일으키며 지나갔다. 세상은 방사능으로 뒤덮였고 바다는 검게 오염되었다. 세상 어디를 가나 죽은 물고기가 끝도 없이 해안으로 밀려왔다. 죽은 것은 부패하고 악취는 만연했다. 세상은 이제 어디를 가나 지옥이었다. (<릴리안 나리>의 <호모사피엔스 기록> <대멸종 편> 1장 9절)

우둘스의 시작은 늘 그렇듯, 산만한 꿈에서 깰 때부터 시작한다. 꿈은 섞여 있고 느낌만 강렬하다. 이게 꿈이구나 하고 깨닫는 순간, 그는 불어 터진 오줌보가 보내는 통증과 지친 세포가 보내는 게으름, 또 태양이 사라진 지상에서 어떻게든 보내야 한다는 강박감이 한데 섞인, 혼란스러움에 빠져들곤 한다. 갈등과 망각의 조합. 비정형의 현실 테두리를 오락가락하는 것이다. 그리고 느끼는 강한 향수. 그를 눈 뜨게 만드는 것은 언제나 향기였다.

실비아는 그녀의 짙고 푸른 눈동자를 그에게 응시했다.
"며칠을 잤는지 아세요?"
"이틀?" 그녀는 미소를 띠며 천천히 고개를 저었다.

"나흘이에요. 꼬박 나흘을 죽은 듯이 잠만 잤어요. 당신…."

그는 천천히 고개를 들어 맞은편 모서리에 떠 있는 홀로워치를 쳐다봤다. 반투명한 실비아 속으로, 경고를 의미하는 알람이 낮은 음향으로 울리고 있다.

2166년 7월 11일. 오후 11시 44분. 조명이 천천히 밝아왔다. 그리고 실비아가 사라진다.

오랫동안 그는 그녀를 생각했다. 불면이 깊을수록 느낌은 커져만 갔다. 인공 태양은 오전 7시 정각이면 어김없이 떠오른다. 가려진 방의 모든 틈으로, 피곤한 몸뚱이를 갉아대는 강렬한 햇살이 비집고 들어온다. 눈을 물들이는 붉은빛. 현실과 생각은 모호하고 느낌은 낯설기만 하다. 널브러진 육체.

그는 헝클어진 무질서로 새겨진 차이나타운을 헤매고 다녔다. 거칠게 제조한 구오롱스(Guolongs). 4세대 메탐페타민(Methamphetamine)을 구하러 다닌 것이다. 그를 재울 수 있는 유일한 마약. 가진 대부분 돈이 사라졌다. 당연히 환각은 길어지고 망각은 깊어졌다. 어떤 날은 생각한다는 것조차 느끼지 못할 때가 있었다. 어쩌면 그게 나을지도 모르겠다. 인식이 돌아오면 그의 시간은 외로움과 슬픔으로 채워졌다.

그는 이제 흔적조차 흐릿한 그 시절의 거리와 골목, 가로등과 바람, 나무와 걸개를 기억하려 애썼고, 끄트머리 기억까지 차곡차곡 훑으며, 바다와 디젤 향을 맡으러 애썼다. 하지만 그는 이미 잘 알고 있다. 이 모든 것은 구부러지고 왜곡된 그의 머리에만 존재할 뿐이라는 것을.

그는 눈을 감은 듯 뜬 듯, 보는 듯 보지 않는 듯하며 어쩌면 그날, 그 마지막 날. 그녀의 모습을 마지막으로 보게 된 그 시점의 그를 그리워하고 있는지도 모르겠다.

****

칠월의 밤바람 속에 향긋한 풀냄새가 났다. 그는 천천히 일어나 창문을 끝까지 열었다. 도시의 불빛은 차고 넘쳤다. 하지만 하늘은 별 하나 없이 그냥 새까맣다. 사실, 별이 존재하는 하늘은 오래된 디지

털 영상에만 존재한다. 대멸종 이전 말이다. 이미 한 세기 전의 일이다.

어둠에 해충을 걱정할 새도 없이, 그의 방 형광등에는 날 것들이 삽시간에 들어와 정신없이 돌아다니고 있다. 곤충은 포유류보다 훨씬 뛰어났다. 하늘과 바다, 대기와 땅이 모두 오염되고 대부분 동물이 멸종으로 접어들었지만, 곤충은 오히려 번창하였다. 그들은 이제 지상의 몇 안 되는 인간 거주지역을 온통 새까맣게 물들이고 있다. 이곳, 남태평양 한가운데, 예전 폴리네시아로 알려진, 배들의 도시에도 예외는 아니었다.

그는 잠시 살충광을 쪼일까 하다가 관두었다. 불쌍한 생각이 든 것이다. 죽음에 대해 애처로움을 느낀다는 것은 지극히 피상적인 발상이지만, 그나마 그런 감정이 있다는 게 고마울 따름이었다. 그마저도 없었다면 얼마나 많은 살상이 더 일어났을까를 생각하는 것이다.

숭숭하며 바람이 들어오기 시작했다. 그는 속옷 차림이었지만 그다지 가볍다는 생각은 들지 않았다. 그는 계속 창문을 열어 두기로 했다. 벌레는 귀찮지만 바람이 그를 사로잡았다.

그가 묵고 있는 방은 도시에서 가장 높은 곳에 있는 호텔이다. 땅에 세워진 몇 안 되는 건물 중 하나다. 배들을 엮어 만든 도시는, 태양이 비추는 어느 곳이든, 혼란과 무질서를 가장 극명하게 보여준다. 하지만 밤이 되면 그 모든 것을 어둠이 감싸 안는다. 반목, 폭력, 혼란, 갈등, 죽음, 절망이 검은 장막에 덮인다. 하지만 그 모든 것은 단지 보이지 않을 뿐이다. 여전히 지옥은 진행형이다.

그는 낮은 곳의 깨알 같은 불빛을 본다. 밤의 멋진 전망 속에, 살포시 훑고 지나가는 바람 속에, 그는 비로소 안심한다. 어둠 속에 모든 가난다움과 죄스러움이 숨겨진다는 게, 어찌 보면 삶이 고통의 연속이라도 잠시 휴식 속에 갖는, 혹은 맛있는 빵이라도 먹으면서 겪게 되는 찰나의 행복이 있다는 전제가 되므로 사실, 이 순간만이 비로소 편안하다고 해야겠다.

****

그는 메신텔에 기록된 영상을 확인하는 절차를 밟기 시작한다. 지령은 간결하였다. 지구령 8개월 만에 그의 7번째 대상이 선정되었다.

2166년 7월 12일이 막 시작하였다. 그의 생일까지 17일이 남았고, 태양계의 세 번째 식민지인 타이탄 서클에서 외둥이로 태어난 지 77세를 목전에 둔 날이었다. 고향에서는 여전히 청년 취급을 받지만, 폭력과 살상이 넘쳐나는 태양계 1 섹터에서는, 신기하게 살아남은 자로 일컬어지는 럭키맨으로 통용된다.

남킹의 문장 1
브런치 스토리

남 킹

남킹 컬렉션 #022

사랑 그 쓸쓸함
에 대하여

남킹 음악산문

남킹 컬렉션 #021

럭키맨 우들스 2

럭키맨 우들스. 그의 별칭. 물론 본명은 따로 있다. 제롬 르 제주스 데 샹. 샹은 중립지역 기형 아기집단소 출신을 의미하며 제롬은 그의 외할아버지 이름이다. 제주스는 그가 29살이 되던 해, 아름다운 풀들이 자란다는 어머니의 고향을 떠올리며 스스로 집어넣었다. 어머니는 죽을 때까지 고향을 그리워했다. 대멸종 직후, 아버지에게 납치되어 삭막하기 이를 데 없는 탄광 거주지역에서 40년도 채 살지 못하고 그녀는 요절하였다.

그녀는 이제 고운 가루가 되어 그의 두퍼스에 안치되었다. 그는, 언젠가 그녀가 태어난 곳을 방문하게 되면 그곳에다 유해를 뿌릴 생각이다. 하지만 아쉽게도 아직은 아니다. 그녀가 죽은 지 60년이 훌쩍 넘었지만, 그녀의 고향은 여전히 고밀도의 방사능 오염지역으로 분류되어 있다. 즉, 인간이 살지 않는다는 뜻이다.

인간이 떠나간 자리. 그곳은 세상에서 가장 아름다운 곳으로 변하였다. 비로소 자연이 돌아왔다. 그는 홀로그램 영상에 비친 황홀한 광경을 넋을 잃고 바라보곤 하였다. 바람과 자연이 공존하는 땅은 언제나 아름답다. 그는 그곳에서 죽음을 맞이하고 싶다고 느낄 때도 있었다.

죽음은 사실 이제는 아무것도 아닌 게 되어 버렸다. 병은 언제든지 고칠 수 있고 낡은 장기는 간단하게 교체할 수 있게 되었다. 오히려 고민스러운 건 이 기나긴 인생을 어떻게 살아야 하는지 그저 막막할 때가 있다는 것이다. 꼭 죽지 않아도 된다는 것은 꼭 살아야 한다는 당위성에 숱한 의문부호만을 남기게 되었다. 죽음으로써 아름다울 수 있었던 낭만은 이제 고전에서나 존재할 뿐이다.

그러나 그는 죽음을 예정해 두었다. 그는 자기 삶에 마침표를 두어야 한다는 현실을 그의 나이 69살 때 깨달았다. 삶의 진행은 자신에게 끊임없이 목적을 부여함으로써 그 타당성을 인정받고 유지할 수 있다. 그러나 그는 목적의 단절을 느꼈고 그러한 상태는 현재까지도 변함없이 유지되고 있다. 한마디로 사는 것은 무의미하다는 것이다. 마치 바람 속의 먼지와 같다.

그는 지령을 받고 수행을 한다. 그의 직업은 인간의 매춘 역사만큼 오래되었다. 그는 킬러다. 동족을 죽이는 일. 하지만 보통 킬러와 좀 다르다. 그는 영혼을 죽인다. 즉, 고스트 킬러다. 신종 직업이라고 생각하면 편할 것이다. 사람들은 그의 직업을 알면 매번 이런 의문을 가진다. '그냥 킬러와 차이가 뭐지?' 차이는 없다. 단지 좀 더 어렵고 복잡할 뿐이다.

아마겟돈에서 살아남은 인간은 이제 거의 죽지 않아도 되는 존재가 되었다. 과학은 숱한 난관에도 불구하고 여전히 발전하였고, 그 기술은 인간에게 불멸이라는 선물을 남겼다. 물론 불멸이 선물인지 아닌지는 아직 따질 단계는 아니다. 이 기술이 시작된 건 이제 겨우 50년 정도 되었고, 혜택을 보는 이도 사실 그다지 많지 않다. 아직은 소수의 재력과 권력을 가진 자만 가능하다.

오래전, 킬러는 편하고 간단한 직업이었다. 총과 같은 원시적인 도구로, 제대로 한번 쏴버리면 끝나는 게임이었다. 이 얼마나 수고스럽지 않은 직업인가! 표적이 정해지면 그냥 찾아가서 적당한 곳에서, 적당한 시간에 속수무책인 표적을 향하여, 빵 하고 한 방 날려버리면 끝나버리니 말이다. 하지만 세상은 점점 복잡해졌고, 인간은 지나치게 영악하고, 과학은 정말이지 숨 돌릴 새도 없이 빨리 발전하였다.

그가 수단과 방법을 가리지 않고 타깃을 산산조각을 내더라도, DNA 단 한 조각만 있으면 얼마든지 복제할 수 있다. 아니 한 조각도 필요하지 않다. 녀석을 파이어둔으로 흔적도 없이 날리더라도 녀석과 100% 똑같은 쌍둥이가 세상에 최소한 1명 이상이 존재한다. 그리고 녀석을 죽이는 순간, 쌍둥이 형제는 <라이브이머전스> 상태가 된다. 즉, 타깃은 2배가 된다. 살인은 2배의 생존을 의미하는 것이다.

그리고 그들은 곧바로 실시간 동기화를 시작한다. 즉, 모든 기억과 경험을 공유한다. 그들이 아무리 멀리 떨어져 있어도 말이다. 적어도 지구와 중립지역, 7개의 식민지 서클에서는 동기화에 단 1초도 걸리지 않는다. 말하자면, 그들의 몸은 복수지만, 영혼은 하나가 되는 셈이다. 영생이 이론적으로 가능한 것이다.

우들스는 기형이다. 그는 식민지 서클에서 1만 분의 1의 확률로 태어난다는 외둥이다. 제너루스 DNA 혁신과 유전자 조작으로, 모든 인조인간은 복수로 태어난다. 신체적 정신적 영혼적으로 정확히 같은 존재가 세상을 4개의 눈으로 지켜보는 것이다. 2개의 뇌는 각각 2배의 경험을 담고, 교차 동기화로 하나의 개체로 인식한다. 하지만 기형은 영혼의 교감을 받을 수가 없다. 그의 복제는 단지 같은 모습의 다른 인간일 뿐이다.

그가 행한 첫 살인은 그의 복제를 없애는 거였다. 그 당시 그의 뇌는 죽은 아내로 가득했다. 그리움은 절망의 다른 이름이다. 상실은, 그의 몸에 가시로 자랐다. 가시투성이의 몸. 그런 자신의 흔적을 지우는 것. 그것만이 유일한 목적이 되었다. 그러므로 그의 임무 수행은 죽기 위한 전위행위었다.

그리고 그는 아직 죽지 않았다. 운 좋게도? 아니면 운 나쁘게도?

럭키맨 우들스는 서늘한 바람 속에 무기를 챙기기 시작한다. 벌레가
전구에 가득하다.

거리를
비워두세요

남킹 음악에세이

남킹 컬렉션 #020

남킹 컬렉션 #019

이방인

남킹 장편소설

개 1

미자와 늦은 점심을 하고 헤어진 뒤, 나는 버스를 타고 영어학원으로 갔다. 대학 졸업 후, 소외를 자처하고 갈 곳을 잃은 나에게, 지난 2년간, 이곳은 나의 터전이 되었다. 나는 몇 안 되는 장기 수강생 중의 한 명이고, 학원 관리부장에서부터 미화 아줌마까지, 나의 이름은 모를지언정 적어도 내가 누군지는 알고 있는 게 사실이다.

지하 1층, 지상 5층의 엘리베이터가 없는 아담한 규모의 이 학원 빌딩을 나는 지금 천천히 계단으로 오르고 있다. 일요일 늦은 오후라 학원은 거의 텅 비다시피 했지만, 드문드문 익숙한 얼굴들이 눈에 띄었고, 그들과 눈인사를 주고받거나 심드렁하게 지나치기도 하였다. 그들 대부분은, 유학 혹은 취업을 준비하는 학생이나 졸업생들이지만, 종종 나처럼 딱 게 할 게 없어서, 혹은 막연히 미국이 좋아서 무작정 오는 이들도 적지 않다.

목적이 확연한 이들은, 몇 달 혹은 몇 년, 그러나 대부분 2년 이상은 넘기지 않고, 입학허가서와 같은, 영어권 나라에 체류할 타당한 근거를 마련하고는, 부푼 희망을 안고 이곳을 떠나게 된다. 그들은 목적하는 바를 이루기 위하여 많은 시간을 인내하고 감내하였으며, 종횡무진 달려가, 이제 우리 사회가 보편적으로 인정하는 달콤한 열매를 맺기 위하여 즐거이 대양을 건너는 것이다. 그리고 그들 대부분은 이곳으로 다시 오지는 않는다. 당연한 말이지만.

목적이 모호한 이들은 주로 여기에 남는다. 그리고 서로를 잘 알아본다. 나는 사교적이지 않으며 노력하지도 않지만, 내 주위에는 나를 친구로 생각하는 이들이 차고 넘쳤다. 우리는 빈 강의실, 시청각실, 혹은 옥상에 마련되어 있는 도서관에서 한낮을 때우고, 밤이 되면 술집이나 당구장, 볼링장이나 바닷가로 몰려다니며, 되지도 않는 엉터리 영어를 내뱉으며, 꼴만 우스운 웃음으로 한바탕 킬킬거리곤 하였다. 가끔 원어민 선생을 초청하여, 밥과 술, 유흥을 제공하고, 그들이 내뱉는 말 한마디 한마디에 다들 귀를 쫑긋하며, 알아듣는 듯 고개를 주억거려보지만, 머릿속만 새하얘질 뿐, 입안에는 불편한 단어들만 잠깐 구르다가, 결국 보디랭귀지로 어색한 침묵을 대신하는 경우가 허다하였다. 그럴 때 느끼는 착잡한 감정은 시간이 흘러도 익숙해지는 법이 없었다.

우리 중 어떤 이들은 떠나기도 하였다. 하지만 대부분 몇 달 내로, 뉴욕타임스를 겨드랑이에 끼고는 돌아왔다. 그들은 풍족한 부모의 재산을 배경으로, 할리우드, 라스베이거스, 혹은 타임스퀘어를 걷다가, 코리아타운에서 끼니를 해결하고, 한국 학생으로 넘처나는 그곳 어학연수원에서 이곳과 다름없는 생활을 즐기다가 궁핍해지면, 어쩔 수 없이 우리 곁에 나타나는 것이다. 그들이 오면 우리의 유흥 문화는 더욱 소란스러워졌다. 언제나 즐길 거리에 목말라 하는 우리에게 환송회와 환영회는 더할 나위 없는 좋은 주제임이 틀림없다. 더욱이 돌아온 이들이 들려주는, 주마간산식으로 훑고 간 현장 학습 체험기는, 우리에게 언어의 장벽을 뛰어넘는, 훌륭한 문명의 연결고리 역할로 다가와, 야릇한 불안과 바람 같은, 부서지기 쉬운 자유 속에 묶여 있는 나의 미래가 잠시나마 살짝 열리는 듯한 착각을 불러일으키곤 하였다. 이를테면, 희망과 좌절 혹은 설렘과 같은 감정들이 빠른 속도로 요동치게 되는 것이다. 그렇게 개인적 흐트러짐은 교묘한 완곡법으로 무가치한 생을 그럴싸하게 포장하곤 하는 것이다. 그러나 아침이 오면 언제나 그렇듯이 적요가 찾아오고, 실타래처럼 얽힌 지난밤의 모든 감정은 끊어졌다. 소리 없이 바깥을 향한 외침이 잦아들고 간밤의 흔적에 진저리를 치곤 하였다. 어느새 나는 남루한 차림으로, 바짓단에 묻은 흙을 문지르며, 남발하었던 희망을 거둬들었다. 다시 거북이로 바뀌어 있는 것이다. 그리고 정체도 확실치 않은 그녀에 대한 애틋한 그리움이 점점 고여 들어, 결국 나의 관심은 토요일 오후, 그녀가 퇴근하는 그 시간만을 가리킬 뿐이었다.

개 2

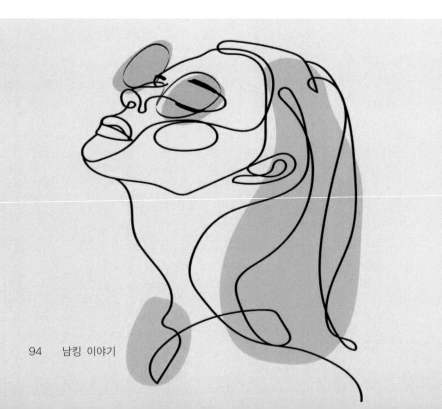

남자와 헤어진 후, 버스를 타고 집으로 향했다. 잿빛 하늘이지만 아직 햇볕은 따스하였다. 그리고 차창에 비친 거리는 단조롭고 한산하였다. 모두 숨바꼭질하듯 숨어 버린 듯하다. 집이 가까울수록, 성마른 마음은 점점 더 무거워진다.

일요일 저녁은 이 도시에 사는 대부분 직장인처럼, 한 주만큼의 우울을 달고 보내게 된다. 다가올 일주일은 막막하고 지나간 주말은 아쉽기만 하다.

사실 나의 업무는 딱히 어려운 것도 없다. 책상에 앉아 타자하고 전화를 받고 서류를 전달하다가 시간이 되면 그냥 퇴근하면 된다. 관광학과를 졸업하고 수출입과 관련된 제법 큰 회사에 다니지만, 대부분의 말단 여직원이 하는 일과 크게 다르지 않다. 더구나 품질관리라는 고정된 틀에 따라 움직이는 부서이므로, 야근도 없고, 또 그만큼 중요한 곳이 아니므로 긴장감도 거의 느낄 수 없는 게 사실이다.

하지만 이곳은 졸업 후 정식 입사한 나의 첫 직장이다. 이전에 셀수 없을 정도로 많은 파트타임 일을 하였지만, 그것과는 비교할 수 없는 성질의 것이다. 그리고 이제 7개월이 어느덧 흘러가 버렸다. 하지만 아직도 낯설고 불안하기만 하다.

마치 공황발작을 경험한 강박증 환자처럼 느껴진다. 게다가 마음 붙일 만한 동료도 아직 얻지 못하였다.

어쩌면 시간이 갈수록, 내 안의 불안은 충적토처럼 차곡차곡 쌓여가기만 한다는 느낌을, 나는 지울 수 없다. 그래서 나를 더욱더 휘게 만들고, 감당할 수 없는 지경으로, 결국에는 나를 몰아갈 것만 같다.

익숙한 동네에 버스가 멈췄다. 낮은 구릉이 시작되는 이곳에서 맞은편 육교를 지나 좁고 고불고불한 길을 20여 분간 가파르게 오르면, 내가 사는 집이 나온다.

그는 아직 내 집이 어딘지 모른다. 딱 한 번, 새벽까지 여관에서 뒹굴다, 안전을 핑계 삼아, 배웅하러 육교 앞까지 따라온 적이 있다. 내가 부득불 우기지 않았다면 집 앞까지도 따라왔을 것이다.

하지만 나는 정말 보여주고 싶지 않다. 또 앞으로도 보여 줄 생각은 전혀 들지 않는다. 가난의 상흔으로 온통 범벅된 이 동네와 내 집은,

내가 부정하고 싶은 내 가족만큼이나 남자에게서 감추어야 할 나의 치부와도 같은 존재이다.

육교에 올라서자, 발밑으로 지나치게 빠른 속도의 차들이 조급하게 왔다가 흩어졌다. 빛은 선으로 이어지고 잠시 동요하는 듯 뒤엉키더니 이내 사라졌다. 차들이 내는 소음에 어안이 벙벙하다. 넓지만 경사가 있는 도로에 육교는 위태롭게 길게 뻗어 있고 무너질 듯 왜소하다.

육교를 건너자, 변함없이 요란하게, 침대 널빤지를 세워놓은 듯한 간판을 내건, 보신탕과 보양식 집들이 눈에 들어온다. 일주일에 한 번 혹은 두 번씩, 새벽이 되면 세상의 눈을 피해, 개를 실은 트럭이 도착하고, 철창 속에 갇힌 개들이 인간들에게 질질 끌려 나온다.

죽음의 향기를 직감한 개들은 공포의 낮은 신음을 내며, 눈에 띄게 불거지는 저항의 자세로, 눈알을 부라리며, 다리를 넓게 짚고 서서 힘껏 버텨보지만, 건장한 인간들의 발길질과 몽둥이세례에 고통만 더 하며 끌려갈 뿐이다.

그 신음은 유년부터 내 몸 구석구석에 고통으로 각인됐다. 그러다 불쑥, 모처럼 만에 맞이하는 기쁨이나 즐거움, 행복감으로 세상을 평온의 눈으로 바라볼 때면, 어느새 내 곁에 다가와, 아니 정확히, 내 몸에서 뿜어져 나와, 맞지 않는 사치한 감정들을 뽑아 버리고 나를 쥐어짜기 시작하는 것이다.

그럴 때면 나는 아랫입술을 피가 맺힐 정도로 힘껏 깨물며 저항해본다. 하지만 나는 소용없다는 것을 잘 알고 있다.

나는 초라하고 불안하고 절망적이어야 만 하였다.

나는 휘저어놓은 감정들의 포착할 수 없는 소용돌이로 뛰어든다. 나는 미친 듯이 섹스를 하려고 달려든다. 남자가 있든 없든, 나는 내 몸 세포 하나하나에 박혀있는 모든 소리를 다 빼낼 때까지, 있는 힘껏 힘줄을 불리고, 마구마구 소리치며 내 몸뚱이를 학대하는 것이다.

브런치 스토리

남킹 사랑 소설집

남킹 컬렉션 #028

버스 민폐녀

남킹 슬픈 이야기

남킹 컬렉션 #027

개 3

영어학원. 모두 다 빠져나간 도서관은 적막하기가 그지없다. 사실 일요일에 학원을 개방한 것도 얼마 되지 않는다. 소위 터줏대감으로 일컫는 나를 포함한 몇몇 장기 학원생들이 관리부장을 끈질기게 설득하여 얻어낸 결과이다. 덕분에 나는, 여자와 보낼 때와 과외 학생을 가르치는 시간 외에는 항상 이곳에 있다.

통상적으로, 약속이 없는 날이면, 오전 8시에 이곳에 도착하여 오후 10시 문을 닫을 때까지 이곳에서 시간을 보낸다. 나는 도서관에서 원서를 보거나, 시청각실에서 영어방송을 보기도 하고 동료들과 자유토론을 하기도 한다.

과외가 있는 날에는, 중학교와 고등학교 영어 참고서를 펼치고, 그날 가르칠 분량을 예습하고, 일주일에 두 번, 그녀가 수업하러 오는 날에는, 같이 저녁을 먹고 해가 진 철길을 몇 분간 걷다가 키스하고 헤어지기도 한다.

철길은 오래전부터 사용하지 않는 것인데도 불구하고 도시 한복판에 아직도 방치되어있다. 나는 인적이 드물고 조명도 어두운 지역을 찾다가 우연히 이곳을 발견하였는데, 역광장까지 몇백 미터 정도를 이런 상태로 이어져 있다.

나는 이곳에서 그녀와 첫 키스를 하였고 가슴도 처음 만졌다. 하지만 나의 끈질긴 요구에도 불구하고, 그녀와의 첫 관계는 몇 주가 더 지나야만 가능했다. 나중에 안 사실이지만, 여자는 어리석게도, 처녀가 아니라는 자책감에 시달렸던 것 같다.

세상의 탐욕스러운 인간들이 오래전에 만들어 놓은 혐오스러운 이중 잣대는 여전히 유효하고 성가신 존재로 남아 있는 것 같다.

여자를 언제 처음 알게 되었는지는 잘 기억 나지 않는다. 우연히 엎지른 만남이었다. 어쩌면 하얀 분말을 입힌 케이크 세 조각을 미화 아줌마에게서 받은 게, 첫 인연이었을지도 모르겠다. 관리팀장의 조촐한 생일 행사 뒤에 얻은 케이크를, 그녀는 눈에 먼저 띈 내게 선심 쓰듯 안기고 가버렸다.

나는 멍하니 그 자리에 붙박여, 케이크가 담긴 종이 접시를 들고 있었다. 잠시 후 문이 열리고 낯선 세 명의 아가씨가 들어 왔다. 나는 그들에게 접시를 내밀었다. "드드드세요." 아마 그때가 이 학원에서 모르는 여인에게 처음으로 먼저 말을 건 경우였을 것이다.

이주쯤 지나 복도에서 어떤 여인이 내게 감사의 말을 전했다. 나는 그녀가 전혀 기억나지 않았지만, 미소로 답했다. 그리고 또 몇 주가 흐른 뒤, 우리는 분식집에서 같이 라면을 먹었다.

그녀는 마젠타 입술을 하였다. 짙은 눈 화장과 갈색으로 염색한 머리는 정확히 이마에서 절반으로 나뉘어 그녀의 머리를 감싸며 붙어 있었다. 생기 없는 표정. 그녀는 투명한 눈을 깜빡거리는 것 외에는 별다른 동작을 보이지 않았다. 순간 밀랍 인형처럼 착각이 들었다.

어떤 녀석들이 그녀를 주시했던 것 같았다. 줄무늬 셔츠를 한 녀석이 화장실에서 나오는 그녀에게 말을 걸었다. 하지만 그녀의 반응은 데퉁스럽기 짝이 없었다. 어쭙잖은 자세의 녀석이 비실거리며 물러났다.

그녀는 영어에 관해 무척 많은 질문을 했다. 나는 좋은 교재나 학습 방법 등을 알려줬다. 그녀의 말투에서, 특별한 어조나 낯선 억양은 없었지만, 불안과 우수가 느껴졌다. 하지만 왠지 모르게 그런 느낌이 좋았다. 선한 마음이 깃든 부드러운 불안이었고, 다정함이 묻어나는 우수였다.

그녀가 돈을 냈다. 송미자라고 하였다.

나는 그녀와 같이 수업한 적도 없고, 같은 스터디 그룹도 아니었다. 우린 레벨이 달랐다. 그녀가 이곳에 초급반을 시작할 때, 이미 일 년 이상을 하루도 빠짐없이 수강한 나는, 고급반 주변을 맴돌았다. 아마 그녀는 몇 주 지나지 않아, 나에 대해서 들었을지도 모르겠다.

황당하게도 나에 대해 떠도는 소문은 영어에 미친 사람, 영어 박사, 혹은 영어 대가 등등이었다. 하지만 그런 헛소문을 믿고 나에게 의도적으로 접근한 이들은 다들 실망만을 안고 돌아섰다.

나는 말더듬이다.

나의 부실한 구강구조는 머릿속에 펼쳐진 수려한 영어 문장을 난해한 고대어로 만들어 버린다. 상대방은 당황하고 그 표정을 읽은 나는 몸 둘 바를 모른다. 대화나 토론이 필요 없는 일방통로의 우리

학교 시스템에서, 사실 그동안 나의 결점은 큰 걸림돌이 아니었다. 나는 줄곧 우등생이었고, 누구나 알아주는 명문대학, 명문 학과에서 우수한 성적으로 졸업했다.

하지만 거기까지였다.

나는 직장 인터뷰 혹은 회의에서 뭔가를 발표하는 게 무서웠다. 도대체 사람들 앞에 무슨 말이든 지껄여야 한다는 게, 마치 무시무시한 심연 너머로 한없이 떨어지는 악몽과 다름없었다. 그래서 나는 영어를 선택했다.

아마 이해가 가지 않을 것이다. 말더듬이가 어떻게 영어를 하느냐고? 차라리 우리나라 말보다 발음하기가 나았다. 그리고 더듬거려도 얼마든지 용서가 되었다. 우리 모두 다 영어는 좀 더듬거리면서 하니까.

남킹 SF 소설집

브런치 스토리

남킹 컬렉션 #026

서글픈
나의 사랑

남 킹 장 편 소 설

남킹 컬렉션 #025

개 4

집에 도착했지만, 인기척이 없다. 아버지는 이틀째, 오빠는 벌써 한 달째 집을 비우고 있다. 오빠는 투견 꾼이다. 투견장을 따라 전국을 돌아다닌다. 그는 아마 투견장만 열린다면, 지옥 끝까지라도 주저 없이 따라갈 것이다.

아버지의 직업은, 이걸 직업이라고 해야 할진 모르겠지만, 개장수다. 아버지는 내가 태어나기 전부터, 개를 사기 위해 동네방네 돌아다녔다. 오빠는 수집한 개를 보신탕집에 넘기는 일을 한동안 하기도 했다. 그래서 누군가가 우리를 개판 가족이라고 했다.

나는 줄곧 개장수 딸이고, 오빠는 개장수 아들이다. 그러니 유명한 보신탕 마을에 우리 집이 있는 건 당연지사.

나는 문을 따고 조심스레 방 안으로 들어간다. 어둠살이 움찔하며 따라 들어왔다. 혼자 있는 날에는 항상 조심해야 한다. 나는 핸드백 속에 있는 스턴건을 꽉 움켜쥐고는 방의 불을 켰다. 형광등이 몇 번 껌벅이더니 이내 주위가 환해졌다.

다행히 방에는 정적만 있을 뿐이다. 긴장이 삽시간에 빠져나가 휑텅

그렁하다. 빈 곳은 다시 상실감 같은 묘한 감정이 채워진다. 혐오스러운 오빠지만, 이 순간에는 간절히 곁에 있어 주기를 바라는 순간이기도 하다.

이 동네 양아치치고, 오빠가 투견에 미치면서, 적지 않은 밤을 나 홀로 지새는 우리 집을 모를 리가 없다. 그들은 우리를 백정이라고 하고, 나는 그들을 개새끼로 취급한다.

한낮에는, 길가는 초등학생 돈이나 뜯던 녀석들이, 밤이 되면 슬그머니 이 골목 저 골목에 죽치고 앉았다가, 내가 나타나면 낄낄거리면서 전봇대에다가 개들 하는 흉내를 내곤 한다.

그러던 중 어느 날, 한 녀석이 대담하게 내가 홀로 자는 방에 들어와 밤새도록 나를 괴롭힌 적이 있는데, 나중에 오빠에게 잡혀서 불알이 깨지도록 두들겨 맞았다. 그 녀석은 나를 개처럼 엎드리게 하고는 혓바닥을 내고 짖으라고 협박하였는데, 오빠 패거리가 무서웠는지 아니면 고자였는지, 나를 건드리지는 않았다.

어차피 지금은 진짜 고자가 되었지만. 그리고 나를 보고 '백정 새끼,

'백정 새끼'하고 놀리던 녀석도 있었는데, 우습게도 그 녀석은, 오빠가 한때 몸담았던, 불법 개 도살장에서 진짜 백정 일을 아직도 하고 계신다.

나는 마치 폐가처럼 낡고 병든 집을 낯선 방문객처럼 한동안 천천히 쳐다봤다. 내 속의 어두운 곳에서부터 부추기고 꿈틀거리며 기어이 끓어오르려 하는 고통의 자국들은, 마치 박물관처럼 이곳에 나열되어있다.

가난, 폭력, 쾌락, 눈물, 배반, 몽상, 나태, 죽음이 침범할 수 없는 상태로 가득 쌓여있다. 벌 고통 없이 되씹을 수 있는 어제는, 이 집에서는 단 하루도 용납하지 않는다.

나는 삐걱거리는 창문을 힘들게 열어젖혔다. 창문 틈에 새까맣게 더께가 앉아 있다. 어른거리는 불빛 사이로, 낮은 담벼락에 붙은 까막까치밥나무가 힘겹게 바람에 한들거린다. 채소밭 한 뙈기가 흐린 불빛에 누워 있다.
구석에는 앙상한 과실수, 잡초와 퇴비 더미, 부엽토 통들이 뒹굴고 있다. 엄마가 떠나고 방치된 곳. 한순간에 씁쓸하고 고약한 생각들과 어설픈 회고가 뒤엉켜 올라온다. 나는 크게 한숨을 쉬고 창을 닫았다.

거리를
비워 두세요

남 킹 음악 에세이

남킹 컬렉션 #020

남킹 컬렉션 #019

이방인

남킹 장편소설

개 5

방안의 푸른 기운이 사라지면서 사물들의 윤곽이 뚜렷하게 다가온다. 해가 변함없이 떠올랐다. 나는 눈을 뜬 채 누워 한동안 멍하니 천장을 바라보고 있다.

얄팍한 꿈결 속을 채우던 것들이 두서없이 생각이 난다. 편집증적으로 온 정신을 쏟아 내던 어느 날 아침. 바닥의 널판들이 시리도록 차가웠던, 골방에서 뿜어져 나오던 하얀 연기. 마루를 채우던 구시렁거리는 소리. 속으로 뇌까리던 절망스러운 그리움. 뾰족한 침엽수림 속의 환희.

그녀는 코듀로이 남방에 짙은 머릿결을 흩날리며 돌아선다. 창백한 살결에 짙은 그림자를 드리운 눈동자. 가는 다툼으로 이어진 긴 노정은 끊어진다. 부재가 만들어 낸 강한 끌림.

낡은 천장은 군데군데 얼룩이 지고 네 모서리 모두 곰팡이가 허옇게 피어, 천장만 바라본다면 폐허로 착각하기 딱 알맞다. 이 방은, 나의 청소년기 대부분을 보낸 곳으로, 서울에 있는 대학을 가면서 그동안 줄곧 비어있었다. 사실 막냇동생 정수가 있긴 한데, 그는 근처에 사는 이모와 함께 살았다. 이모는 부유하지만, 자식이 없었다.

사람이 살지 않게 되자, 바퀴벌레들의 천국이 재건되었다. 지금은 온데간데없이 사라져 버렸지만, 밤에 소등만 되면, 그들은 소리소문없이 나타나, 푸덕거리며 날갯짓을 하며, 온 방을 밤새도록 돌아다닌다.

낡고 오래된 3층 아파트의 2층 끝 집에 있는 우리 집은 시장통 한가운데 세워져, 유난히 바퀴벌레, 쥐, 집 나간 고양이들이 많기로 악명이 높다. 그래서 상가 번영 위원회에서는 정기적으로 일 년에 몇 번씩 살충제와 쥐약을 집 안팎에 살포하곤 한다.

살충제를 집에 뿌린 다음 날은, 거실, 부엌, 큰방, 작은 방 가릴 것 없이 곳곳에 수없이 많은, 크고 작은 바퀴벌레들이 죽거나 죽어가고 있는 모습으로 나 뒹굴고 있는 현장을 목격하게 된다. 그러면 우리 형제는 아무렇지 않은 듯이 비질로 쓱쓱 쓸어 담아 휴지통에 버리곤 했다.

어릴 적부터 워낙 많이 봐 온 터라, 화들짝 놀라며 끝까지 추격하여 죽일 만큼 혐오스럽지도 않고, 밥을 못 먹을 정도로 비위가 뒤틀리지도 않았다. 다만 밥이나 국에서만 나오지 않는다면 말이다.

대학 때, 가까이 지내던 동기와 후배들이 한때, 여름 휴가로 우리 집을 찾은 적이 있었다. 가난한 대학생들인지라 경비 절감 차원에서 우리 집에 며칠 머물면서 가까이에 있는 몇몇 유명한 해수욕장을 둘러볼 생각이었는데, 그들 모두 하루 뒤에 허둥지둥 떠나 버렸다.

나중에 안 사실이지만, 그들은 밤새도록 잠 한숨 자지 못했다고 했다. 그렇게 큰 바퀴벌레를, 심지어 날아다니기까지 하는 것을 처음 보았다고 했다.

쥐약은 우리 집 층 계단, 복도뿐만 아니라, 시장 입구에서 끝나는 곳, 골목이나 하수구 구석구석까지, 쥐가 다닐 만한 곳에 골고루, 맛있는 음식과 함께 뿌려졌다. 쥐약을 뿌린 다음 날은, 마치 개와 고양이가 2차 세계대전이라도 치른 듯이, 시장 골목 곳곳에 혀를 내밀고 죽어 있는 광경을 보게 된다. 정작 주인공인 쥐들의 사체는 거의 보이지 않은 채 말이다.

그러면 시장 끝에 임시 건물로 세운 상가 번영회 사무실이 왁자지껄

한바탕 소동이 벌어지곤 하는데, 바로 죽은 동물들의 주인이 변상을 요구하며 실랑이가 벌어지는 것이다. 하지만 손해배상이 실제로 이루어지지는 않는 것처럼 보였다. 동물 주인들도 대부분 이곳 시장 사람들이기 때문이다.

더욱이 애완동물을 돈을 주고 사서 키운 게 아니라, 알음알음으로 한 두 마리 얻어다가 가게 마루 밑에 낡은 담요 하나 깔아 주고는, 먹다 남은 음식이나 팔다 남은 생선 대가리로 키운 정성이다 보니, 매일 내 눈앞에 알짱거리다가 사라지니 순간 허전한 감정이 앞서 그런 것일 뿐, 다음 날이 되면, 언제 그랬냐는 듯이 다시 예전의 일상으로 돌아가는 것이다.

채소 가게를 하던 우리 집 개들도 3마리나 요절을 하고 말았다. 물론 변상은 당연히 없었다. 특히, 마지막으로 죽은 개는 정수가 열 살에 친엄마 품을 떠나, 낯설기만 한 우리 곁에서, 처음 사랑을 쏟았던 대상이기도 하였다. 그의 개가 죽은 날은 찌는 듯이 더운 한여름 증조부 제사가 있던 날이었다.

그 당시 아버지는 전국 팔도 공사판을 한량처럼 떠돌았다. 인물 좋고 허우대 멀쩡하지, 고향에서 유일무이하게 대학원까지 나온 식견 있는 그는, 타고난 욕정을 주체하지 못하고, 가는 곳마다 그 동네 과부와 숱한 염문을 뿌리며, 결국 동생까지 뜻하지 않게 낳게 되었지만, 위치가 집안의 종손인지라, 제사 때만은 잊지 않고 꼬박꼬박 집으로 오시곤 하였다.

즉, 어머니와 우리 형제가 아버지를 보는 날은 추석과 설날, 할아버지, 증조부모, 고조부모 제사 때와 공사판이 이 도시 근처에서 이루어질 때뿐이었다. 아버지가 오면 우리 형제들의 주머니는 두둑해진다. 그는 집에 들어오기 무섭게 자식들을 불러 모아 가져온 커다란 동전 주머니를 펼쳐 놓고 한 움큼씩 퍼서 우리에게 골고루 나누어 주셨다.

아버지는 특이하게도 잔돈으로 물건을 절대 사지 않았다. 심지어 껌 하나를 살 때도 항상 지폐를 냈다. 그래서 항상 그의 여행용 가방에는 잔돈들이 가득하다. 그리고 그 돈들은 바로 우리 차지가 되는 것이다.

그뿐 만이 아니다. 서울 및 경기 지역에 흩어져 사는 네 명의 삼촌들과 세 명의 고모들이 오실 때마다, 우리들의 주머니는 점점 더 두둑해졌다. 사촌들까지 같이 오는 날에는, 우리는 볼록한 주머니를 밑

천 삼아 구멍가게에서 산 얼음과자를 하나씩 입에 물고 만화방에서 죽치거나, 플라스틱 조립완구를 사서 방구석에서 접착제 향기 맡으며 조립에 열중하기도 했다.

남킹 컬렉션 #018

천일의 여황제

세빈의 남자

남킹 판타지 소설

남킹 컬렉션 #017

스네이크 아·일랜드

1권

죽고싶지만 복수는 하고 싶어

남킹 판타지 스릴러

개 6

제사의 서막을 알리는 것은 어머니가 가게 귀퉁이 창고에서 자동차 타이어 만한 프라이팬과 접시, 제기 용품들을 꺼내면서부터다. 그러고 나서 어머니는, 삼촌들이 미리 부쳐준 돈을 우체국에서 찾아, 우리 형제들을 앞세우고 이 도시에서 가장 큰 수산시장으로 발길을 돌렸다. 버스를 2번이나 갈아타면서.

어머니는 그날 올라온 제수용 생선 중 가장 큰 놈들만 사는데, 이건 순전히 아버지 뜻에서 비롯되었다. 그의 특이한 또 한가지 버릇이라면, 바로 제사상에 올라오는 생선의 크기에 집착하는 것이다. 마치 작은 생선이면 조상님들에게 큰 죄를 짓는 것과 다를 바 없다는 듯이, 아버지는 수박만 한 대가리의 문어와 족히 1미터쯤 되어 보이는 민어에, 큰 접시에 꽉 찰 정도로 넓은 도미를 고집하시는 거였다.

우리는 버스를 온통 비린내로 채우다시피 하면서, 낑낑거리며 겨우 생선들을 가져오지만, 부푼 기대와 설렘으로 나의 마음만은 하늘을 날아다니고, 두둑한 용돈으로 평소에 사고 싶었던 조립품을 머릿속에 그려 보느라 사실 정신이 없었다.

아무튼, 제삿날은 나에게 축제 기간과 마찬가지였다. 생선 외의 것은 모두 우리 시장에서 해결했다. 채소야 당연히 우리 집 것 그냥 가져

오면 되고, 과일은 바로 옆 청과물 가게에서 사 오는데, 그 집 주인은 우리 이모다. 이모는 제사 며칠 전부터 크고 싱싱한 과일들을 따로 빼놓았다가, 거의 염가로 어머니에게 넘겨주곤 했다.

사실 우리 가게도 예전에는 이모 가게였다. 이모는 처녀 시절부터 독립하여 이곳에서 과일가게만 쭉 해온 이곳의 터줏대감과 같은 존재였다. 장사 수완도 남다르고 어머니와 달리 붙임성도 좋아 처음 2평 남짓으로 시작한 가게는 이제 스무 배도 넘게 커졌고, 콩나물 공장과 어묵 공장을 겸하여 운영하는 지금의 이모부를 만나 사실상 우리 시장의 최고 갑부 반열에 올랐다.

반면, 재물에는 도통 관심을 두지 않고 놀이 문화에만 집착하던 아버지는 팔도를 떠돌며, 두 집 살림 혹은 세 집 살림을 살다 보니, 물려받은 토지며 집이며 심지어 선산까지, 결국 곶감 빼 먹듯 다 날려 버렸다. 그러자 무뚝뚝하고 자존심 강한 어머니지만, 당장 끼니 걱정에, 별수 없이 동생 가게 귀퉁이를 빌려 장사를 할 수밖에 없었다.

착한 이모는 임대료 한 푼 받지 않고 가게 귀퉁이를 선뜻 잘라서 내주고는 필요한 선반이나 각종 물품을 제공하였다. 더욱이 장사에는 젬병에 지나지 않는 어머니에게 여러 가지 노하우도 제공해 준 덕분에, 어머니는 비교적 수월하게 자리를 잡을 수 있었다. 간판도 하나 내 걸었는데, 형 이름을 따 <인수네 야채 상회>라고 지었다.

아무튼, 그 날. 더운 여름날. 제사가 있던 날. 어머니는 정수에게 가게를 일찌감치 맡기고 오랜만에 내려온 막내 고모와 제사상 준비에 정신이 없었다. 사전에 쥐약 놓는 날이란 걸 알고 있던 정수는 온종일 그의 개를 예의 주시하며 가게를 지키던 중 잠시 한눈판 사이에 개가 사라졌다. 정수는 급하게 뛰쳐나가 개를 찾았고 이내 정말로 10분도 안 되어 그의 개를 찾았다고 했다.

온통 짧고 하얀 털로 덮인 그 개는 정수를 향해 꼬리를 힘차게 흔들며 주인을 맞이하고, 이내 가게 평상 밑에 마련된 그의 보금자리로 들어갔다고 했다. 그리고 1분쯤 흘렀을까? 기묘하고 섬뜩한 신음이 점점 강도를 더하더니 낮은 평상의 천장을 쿵쾅거리며 부딪히는 소리가 격렬하게 이어지는 거였다.

이 소리를 듣고 이모가 달려와, 그 광경을 보지 못하게, 정수의 손을 잡고 어머니에게 끌고 가고, 그사이에 이모부가 죽은 개를 양지바른 곳에 잘 묻었다고 했다. 하지만 그 장소가 어디인지는 아무에게도 알려 주지 않았다. 정수가 그렇게 사정사정했는데도 그저 먼 공동묘지라고만 하였다.

그리고 먼 훗날, 어머니와 이모가 대화하는 중에 나는 얼핏 알게 되었다. 이모부가 손수레에 죽은 개를 싣고 가던 중 마침 개장수를 만났다고 했다. 버릴 거면 달라고 해서 줬다고 한다. 그의 포대기에는 이미 죽은 개와 고양이 몇 마리가 담겨 있었고, 그의 아들로 보이는 녀석도 한 포대기 짊어지고 있었다는 거였다. 언제부터인가 쥐약 살포하는 날을 용케 알고 나타난다고 했다.

<끝>

남킹 판타지 소설집

하니은 매화

남킹 컬렉션 #015

남킹 컬렉션 #013

남킹의 문장 2

연어의 마법사 남킹의 문장들

서글픈 나의 사랑 1

토리

30년이 지났지만, 그 골목과 바람, 언덕에서 바라보는 바다는 여전했다. 늘 그리웠고, 갈구하였지만 막상 이 자리에 다시 서니 마주침의 감격보다 회한의 슬픔이 앞선다. 나는 떠나지 말았어야 했다.

그리고 나는 그날, 토요일 오후에 머물러 있다.

남자

운명은 미련스러운 사실 속에 침착하고 녹아들어 어디로 흐를지 알 수 없는 것.

학교에서 연락이 왔다. 나의 지도교수가 파면되었다. 수년간에 걸친 부정 입학이 발각되었다. 수십 명의 피해자 중에는 나도 있었다. 특별 입학이 났다. 학교로 다시 돌아갈 수 있게 된 것이다. 소식을 접한 어머니가 눈물을 보였다. 하지만 내게는 고통스럽다. 나는 돌아가지 않을 것이다.

'어머니, 나는 돌아가지 않을 겁니다.'

애초에 나의 꿈은 허망한 신기루였다. 세상의 허위와 겉치레는 발끝에 차이는 돌조각보다 가벼웠다.

나는 세상이 나를 찾지 않기를 바란다. 잘 못 걸려 온 전화처럼. "아, 죄송합니다. 당신을 호출하려는 게 아니었습니다."라고 읊조려 주기를 바란다.

여자는 토요일 오후면 퇴근을 한다. 그래서 무성한 가로수 이파리들이 상쾌한 바람에 파들거리는 이 도시의 거리를 가로질러, 나는 전당포와 약국이 보이는 육교에서, 후드가 달린 카디건을 입은 그녀를 웃으면서 쳐다볼 수 있었다.

늘 그 모텔로 돌아갔다. 우리는 말 없이 샤워하고 섹스를 했다.

둥글게 올라온 비너스의 언덕. 서혜부, 음부, 회음부, 항문이 동시에 나타났다. 분홍과 갈색 그리고 짙은 회색. 흐릿한 윤곽. 욕망이 용솟음친다. 강한 몰입. 우툴두툴하고 까칠한 부분에 입술을 댄다. 지린 내가 올라온다. 번질거리는 액체. 끈적거리는 살갗. 구멍이 꿈틀댄다.

경이로운 본능이 빚어낸 행위. 나는 참지 못하고 껙껙거리며 뱉어낸
다. 찰나의 쾌감. 그리고 빈정거림이 뒤섞인 긴 나른함.

여자는 깊이 잠들었다. 나는, 새벽 3시가 넘었지만, 당최 잠이 오지
않는다.

나는 붉은 네온사인 불빛이 물감처럼 번진 창턱에 팔꿈치를 대고 양
손바닥으로 턱을 괸 채, 바람과 비를 보고 있다.

남킹 컬렉션 #012

남킹의 문장 1

언어의 마법사 남킹의 문장들

남킹 컬렉션 #011

1월의 비

남킹 감성 소설집

서글픈 나의 사랑 2

여자

남자가 나타나지 않았다. 먼 길 육교를 두리번거리며 한동안 그곳에 머물렀다. 버스와 차량 사이 짙은 바람이 훅훅하며 할퀴고 갔다.

혼자서 버스를 타고, 늘 가던 그 모텔, 같은 호실에 들어갔다. 데스크를 지키는 청년이 나를 보더니 익숙한 미소와 함께 눈을 동그랗게 떴다.

"어, 혼자세요?"

"바쁜 일이 있어서…. 먼저 왔어요."

"아. 네." 나는 서둘러 키를 받았다. 녀석이 신기한 듯 목을 길게 빼고 싱긋이 웃는다.

나는 이런 변명은 하지 말았어야 했다. 곧 후회가 왔다. 나는 알고 있다. 남자는 오지 않을 것이다. 그는 어쩌면 영영 오지 않을 것이다.

'이건 오래전부터 알고 있던 거잖아. 바보같이.'

늘 안방처럼 친숙하다. 문을 열고 들어서는 순간부터 오래전에 맡았던 향기가 간헐적으로 솟아 나온다. 마치 삶과 시간을 연결하는 끈이 있어서 어디든 연결된 느낌이다. 나는 내가 속한 곳에 묶여버린 것 같다.

직장, 남자, 여관, 집 그리고 이 도시. 번잡하고 지나치게 복잡하고 무질서답게 보이지만 사실 언제나 따지고 보면 외롭고 썰렁하기 짝이 없는 이곳.

하지만 나는 도시를 떠날 수 없다. 늘 마음은 이국의 낯선 태양을 바라보지만, 현실은 무기력하고 슬프며 아프고 혼란스럽다. 자극에 민감하고 이름을 알 수 없는 정신병에 주눅이 든 채 늘 불분명한 실체와 상상에서 벗어나려고 하지 않는다.

창이 붉었다. 바람은 거칠고 하늘은 투명하였다. 나는 커튼을 젖히고 길게 숨을 쉬었다. 갑자기 숨 쉬는 것조차 잊은 듯 느껴졌다. 대지를 가르는 높은 하늘. 적막한 방에 정적은 깊고 슬펐다.

나는 옷을 벗고 탕에 물을 가득 받았다. 뜨거운 물이 철철 넘쳤다.

****

한심하게도 결혼을 전혀 엄두에 두지 않았다는 점이 갈수록 명확해
지고는 있었다. 그러므로 홀가분한 감상에 주안점을 두었다기보다는,
한심한 관계로 발전하는 것 같은 다소 지저분하지만 좀 더 인간적이
고 속된, 그런 분위기에 휩싸이는 순박함을 애초에 차단하였다는 점
에서 배신감 같은 분노가 생기는 것은 어쩔 수 없는 거였다.

우리의 다툼은 침묵보다 무거웠다. 입을 다문다는 것. 그러므로 용서
와 화해를 시간의 긴 장막 속에 내버려 둔다는 것은 어느 모로 보
나 비효율적일 수밖에 없었다.

나는 계단을 통해 옥상으로 올라갔다. 나는 녹슨 옥상 문을 연다. 바
람이 세차게 분다. 더없이 상쾌한 하늘. 여전히 푸른 기운을 감싸고
있는 해안선이 선명한 만을 끼고 있다. 검은 어둠 사이로 밝게 빛나
는 굴곡진 언덕과 경사가 가파르게 늘었다 줄어드는 광경이 어지럽
게 펼쳐진다. 감정의 격앙이 밀려온다. 깊은 어둠에 알 수 없는 검은
구멍이 보인다. 내가 발버둥 쳐도 건너갈 수 없는 공간들. 고통이 쇠

잔한 이마에 걸려 있다.

불가지의 세상에서 기지를 꿈꾸는 우리가 불쌍하고 초라하다. 속수무책으로 뒤틀리고 우울했던 날들이 아직도 내 몸속에 납덩이처럼 남아 있다.

비정형의 얼굴 모습을 바라봤다. 나는 아무것도 표현되지 않은 그를 물끄러미 쳐다봤다.

"연락이 왔어." 남자는 싱긋이 웃는다. 심각하다는 뜻이다. 그는 즐거우면 무표정하고, 우울할 때면 피식거리며 웃곤 한다. 그의 얼굴이 감정을 고대로 전달하는 순간은 섹스할 때뿐이다. 그때만 비로소 인간답다.

"신문사에서 먼저, 학교에서 나중에." 남자의 표정이 어두워진다.

"복학하라고…. 뭐…. 한 번씩 터지는 입시비리 같은 거야. 내가 당했다는 것만 빼고…."

"갈 거야?" 남자는 줄곧 나를 보지 않는다. 나는 계속해서 그를 바라본다.

"아니…." 그가 비로소 나를 본다. 이제껏 보지 못한 무미건조한 표정. 그는 웃지도 화내지도 않았다. 마치 측은함이 온몸을 덮은 듯한 외로움이었다.

나는 그 순간, 그가 내 곁을 떠날 것을 알았다. 그 순간, 한 번도 느낄 수 없었던 그의 욕망을 느낀 것이다.

침묵이 이어지는 동안 그는 다시 시무룩한 모습으로 돌아갔다. 그의 눈에도 피로와 따분함이 물들었다. 그는 방전된 배터리처럼 의자에 축 걸터앉아 얼굴을 두 손으로 한번 쓱 문지르고 다시 책상에 팔꿈치를 괴고 내게 몸을 가까이 다가가며 괴로운 듯한 표정으로 내게 물음을 던진다.

모든 기억이 서서히 빠져나간다. 조각 조각나고 단편은 이어지지 않는다. 삶을 행복으로 채웠던 쪼가리 시간.

멍청하게도 죽음의 그늘에 삶을 지나치게 보듬으려고 애쓴다. 생각하면 하등의 가치를 느끼지 못하건만 아등바등 생명의 끈을 놓지 않으려고 안간힘을 쓴다.

난 고통을 생각했고 죽음은 고통이 아니라고 생각했다. 오래전부터 그렇게 느껴왔다. 악당의 죽음을 바라보며 시원하다고 느끼며 극장 문을 나서겠지만, 그건 바라보는 당신의 마음이지 죽은 자는 어떤 느낌, 즉 고통이 있을 리가 없다.

차가운 바람이 분다. 멋 내려고 골라 입은 얇은 잠바로, 추위가 무자비하게 들어왔다.

귓전을 때리던 세찬 바람은 으르렁거리며 몰려다닌다. 양 사방에서 할퀴듯 대든다. 바람은 지친 낙엽과 헤진 비닐을 그냥 두지 않는다. 기어이 들어 올려 먼지 속으로 던지듯 날리며 성난 소리를 내며 달려든다. 나는 비쩍 마른 손으로 눈을 가리고는 천천히 나아간다.

나는 천천히 공기 속으로 내 몸을 맡긴다. 바람 속에 분해되는 나의 몸뚱이. 비로소 자유가 찾아온다. 나를 둘러싼 모든 것으로부터 자유로워진다. '그래, 고통은 아주 짧게 끝날 거야. 곧.' 나는 그 순간, 비로소 남자가 가엾다고 생각했다. 그리고 서글픈 나의 사랑에 작별을 고했다.

<끝>

남킹 컬렉션 003

신의 땅 물의 꽃

남킹 판타지 SF

남킹 장편소설

거짓과 상상
혹은
조아 별

남킹 장편소설

남킹 컬렉션 #002

삶이 그대를 속일지라도 1

오전 수업을 마치고 나는 스터디 멤버들과 점심을 하러 식당으로 갔다. 별일 없으면 우리는 거의 항상 중국집으로 간다. 동행하는 이들도 대부분 변함이 없다. 여자 세 명에 남자 넷이다. 주부, 유학 준비생, 직장인이 각각 두 명이고, 실업자가 한 명이다.

물론 실업자는 나다. 우리는 영어 닉네임으로 서로를 호칭한다.

40대 중반의 주부는 〈카타리나〉. 세례명이라고 했다. 남편이 모 대기업의 영국 주재원으로 발령을 받아 다음 달 출국 예정이란다. 출국이 임박해서인지 무척 열심히 한다. 20대 후반 여자는 〈샤론〉. 미국 섹시 여배우 〈샤론 스톤〉에서 딴 거 같은데 전혀 육감적이지 않다.

나와 같은 해에 졸업하고 비슷한 시기에 학원에 들어와 비슷한 레벨로 수업을 받고 있다. 결혼 3년 차. 미국을 무척 동경하고 뉴요커가 되는 게 꿈이라고 했다. 다분히 엉터리지만 끊임없이 영어를 말할 수 있는 재능을 타고 났다.

세 번째 여자는 〈칼리〉. 인도의 숱한 신 중 한 명의 이름이란다. 인도의 풍경에서 많이 보아 온 코끼리 형상의 신이나, 팔이 한 10개쯤 달린 신의 이름인 줄 알았는데, 알고 보니 죽음의 신이란다. 왜 그런 신을 택했는지는 말하지 않았으니 알 수 없다.

이름에서 짐작하듯이 인도를 동경하고, 인도 여행을 꿈꾸는 30대 초반의 프리랜서 웹디자이너.

40대 초반의 아저씨 이름은 <스티븐>. <스티븐 킹> 소설 마니아. 중소 규모 회사의 부장. 영어와 담을 쌓고 살다가, 어느 날 갑자기 회사가 미국기업에 팔리면서 잘리지 않기 위해서 필사적으로 영어 공부를 한다. 영어에 대한 스트레스로 무척 힘들어한다. 하지만 영어 실력은 고통받는 만큼 가파르게 향상되고 있다.

20대 후반 휴학생은 <네로>. 물론 로마 폭군 네로 황제에서 따왔다. 군 미필. 유학을 준비 중이라고 하는데, 다분히 군에 가지 않으려는 의도가 있어 보였다. 또 한 명의 20대 후반인 대학원생의 이름은 <아놀드>.
그냥 아무 생각 없이 머리에 떠오른 이름이라고 하였다. 전공은 화학. 미국 대학원에 이미 입학 허가를 받았고, 가을쯤 출국 예정이라고 하였다.

그리고 나의 영어 이름은 뷜. 독일 작가 하인리히 뷜을 좋아해서 처음엔 하인리히로 했다가 너무 긴 것 같아서 그냥 뷜로 바꾸었다.

오늘은 초대 손님도 있다. 고급 클래스 <뉴욕> 반을 맡은 원어민 할머니 선생이다. 우리는 식탁에 자리를 잡자마자 영어를 한마디라도 더 거들기 위하여 다들 열심히 머리를 굴려 별의별 질문들을 다쏟아 내고 있었다.

회색 머리를 동네 아줌마처럼 볶은 선생은, 세상에 이 보다 더 행복할 수 없다는 듯한 밝은 표정으로, 학생들의 질문을 받아주고 또 잘못된 표현을 고쳐 주었다. 장소만 바뀌었지 수업의 연장이나 마찬가지였다.

언제부터인가 우리는 영어 선생을 가끔 초청하여 음식과 술을 대접하였고, 그들은 그 대가로 부지런히 말을 들려주었다. 초기의 대화들은 대부분 서로의 개인사나 관심, 취미 등에 대한 거지만 그런 것들은 사실 얼마 지나지 않아 곧 바닥을 드러내게 되고, 그러면 우리는 공통의 주제를 잡기 위하여 타임스지나 리더스 다이제스트 혹은 영어신문에서 보았던 기사들을 안간힘을 다해 짜내기도 한다.

나는 주로 듣는 편이다. 짤막한 대화나 간단한 답변 외에는 잘 말하지 않는다. 말하면 못 알아듣는 경우가 더 많기 때문이다. 하지만 듣기 능력은 상당한 자신을 가지고 있다. 사실 우리 중 가장 나을지도 모르겠다.

나는 종종 선생 질문을 못 알아듣고 엉뚱한 답변을 하는 학생들을 보게 되는데 그럴 때면 실소를 금할 수 없다.

한번은 언어학을 전공한 한 선생이 뉴스 방송에서 아주 드물게 등장하는 어려운 용어에 대한 질문들을 재미 삼아 퀴즈로 낸 적이 있는데, 더듬거리면서 내가 모든 질문에 정답을 말하자 좌중은 경탄으로 술렁거리기도 하였다. 사실 그들 대부분은 질문 자체도 이해 못 했다고 하였다.

또 한번은 시청각실에서 종일 틀어 놓는 미국 방송에서 <제퍼디>라는 퀴즈 프로그램의 답을 중얼거리는 나를 본 한 선생이 그 이야기를 수업 중에 하는 바람에 몇몇 호기심 어린 학생들이 퀴즈 방영 시간에 나를 구경하러 온 적도 있었다.

아무튼, 이러한 일이 있고 난 후, 나에 대해, 영어에 도가 튼 사람이라는 헛소문이 번지게 되었는데, 이 얘기를 접한 영어깨나 한다는 녀석들이 한 수 가르침을 받고자 일부러 접근하는 웃지 못할 촌극도 벌어지기도 하였다.

하지만 그들이 나에게서 들은 소리라 곤 "아이이…에엠…쏘소리…" 뿐인 것이다.

미자는 일주일에 두 번 학원에 왔다. 그녀는 아주 열심히 영어 공부를 하였다. 그녀의 영어 지식은 짧았지만, 시간과 장소를 가리지 않고 상황이 되면 한마디라도 더 하려고 무척 노력하였다.

그녀의 문장구조는 형편없기 짝이 없었지만 제 뜻만은 비교적 정확하게 전달하였다. 그녀는 상대방의 뜻을 정확히 알아듣지는 못하였지만, 온몸의 촉각을 동원하여 이해하려고 부단히 애썼으며 그러한 일련의 과정들이 묘하게도 나에게는 사랑스럽게 느껴졌다.

마치 세상의 허망함에 일찍 눈 뜬 조울증 환자처럼 무채색으로 숨 쉬던 나에게, 그녀는 내일이 사형 집행일임에도 여전히 삶을 꿈꾸는 사형수처럼 보였다.

남킹 컬렉션 #003

신의 땅
불의 꽃

남킹 판타지 SF

남킹 장편소설

남킹 컬렉션 #004

심해

deep ocean

남킹 SF 장편소설

삶이 그대를 속일지라도 2

정시에 퇴근한 나는 변함없이 학원으로 향했다. 버스로 두 정거장밖에 떨어지지 않은 곳이라, 야근만 없다면 항상 걸어서 갔다. 가끔 부장이 태워다 주기도 하는데, 썩 유쾌한 경험이 아니라서 될 수 있는한 안 타려고 한다. 하지만 굳이 마다하지는 않는다.

과장이 외근을 나가게 되고 사무실에 부장과 나, 이렇게 단둘이 남게 되면 부장은 어떤 여자에게 전화를 걸곤 하는데, 확실한 거는 부인은 아니라는 거다. 부장의 입에선, 마치 내가 꼭 들어야 한다는 듯, 가래 섞인 목소리로 싸구려 음담패설을 수십 분 동안이나 전화기에 대고 쏟아붓곤 하였다.
전임자의 사직 이유 중 한 부분이기도 하고, 또 그녀로부터 사전에 주의사항을 이미 숙지한 터라, 나는 부장에게 일체의 눈길도 주지 않은 채 업무에 몰두하는 척하곤 하였다.

어떤 이상한 말을 듣더라도 절대 아무 반응을 하지 말 것. 이게 그녀가 준 지침서였다. 만약 조금이라도 대응을 하게 되면, 놈은 십요하게 널 물고 늘어지리라는 것이다. 예를 들어, 말끝에 남자 친구가 있다고 하거나, 있었다고 했다면 놈은 질리도록 다양한 질문을 너에게 지속해서 그러나 천천히 물어 오리라는 것이다.
전임자는 그의 전임자에게서 그의 전임자는 또 그의 전임자에게서부터 전해 내려오면서, 각색되고 부풀려진 것도 있겠지만, 확실한 사실은, 많은 여직원이 몇 달을 못 채우고 나가거나 다른 부서로 갔다는 것이다.

그녀들은 입사 후, 몇 달이 지난 어느 날, 야근을 명 받는 게 어떤 의미를 담고 있는지, 혹은 퇴근 후 차를 함께 탄다는 게 어떤 뜻을 내포하고 있는지를 몸소 체험하게 된 후, 비로소 주의사항을 간과한 자신을 책망하곤 하였다. 그야말로 부장은 쳐낼 수도 물리칠 수도 없는 액운이었다.

하지만 사실, 이러한 환경이, 오히려 내가 입사를 하게 되는 시발점과 동기로도 작용한 것인데, 2년짜리 전문대를, 그것도 늦은 나이에 졸업한 나를 선뜻 받아 줄 때는, 이미 이 정도의 결함은 각오하면서 들어 오게 되는 것이다. 더구나 저급한 인간들 세상 속에서 닳고 닳으면서 자라온 나에게, 부장의 음흉한 접근은 오히려 가소롭기만 하였다.

나는 그가 데려다준다면 마다하지 않고 차를 타고 학원이나 집으로 갔다. 유쾌하지는 않으나 두려워하지도 않으며, 주의사항을 잘 숙지하고 있으나 어떤 상황이 닥쳐도 피하지 않을 것이며, 꼼꼼하게 그의 행동과 말을 관찰하며, 참을 수 없는 본능의 가벼움을 조롱할 생각이었다.

막 소나기가 그친 직후라 거리는 후덥지근하였다. 바람이 민소매 속 겨드랑이를 살살거리며 지나가고, 햇빛은 빵빵거리는 차들을 순식간에 훑고 지나갔다. 학원 입구에 도착했을 때, 한 무더기의 학생들이 쏟아져 나왔다. 현수도 그들 속에 보였다.

남자는 나를 알아채고는 그들을 먼저 보내고 나에게 온다. 당구 하러 간다고 한다. 내 수업이 끝나기 전에는 돌아온다고 한다. 그러면서 씽긋 웃고는 다시 그들 속으로 들어간다. 남자는 오지 않을 것이다. 내가 그를 찾으러 가기 전에는 온 적이 거의 없었기 때문이다.

남킹 컬렉션 #012

남킹의 문장 1

언어의 마법사 남킹의 문장들

남킹 컬렉션 #013

남킹의 문장 2

언 어 의 마 법 사 남 킹 의 문 장 들

삶이 그대를 속일지라도 3

당구가 거의 끝나 갈 무렵, 여자가 나타났다. 나는 서둘러 마무리를 짓고 계산을 한 후, 여자와 함께 이미 어두워진 좁은 골목으로 나왔다. 인적은 드물고 밤바람은 고요함으로 살랑거렸다. 우린 아무 말 없이 그냥 걷고 있다.

마치 우리가 가야 할 곳, 혹은 가는 길은 향락도 슬픔도 아닌, 마치 마르세유 궁전의 곧게 뻗은 정원을 호기심 어린 관광객들이 걷는 듯, 뚜벅뚜벅 걸어가기만 하고 있다. 미안하다는 말이 목구멍까지 올라오다 꿀꺽하고 쏙 내려가 버린다.

시계를 보니 10시가 가까워져 온다. 당구장에서 시켜 먹은 짜장면 냄새가 스멀거리며 목구멍에 올라온다. 나는 담배를 물고 여자의 얼굴을 슬쩍 훔쳐본다. 말이 없다는 것은 화가 많이 났다는 뜻이다.

어느덧 우린 사서리까시 왔다. 뜨거운 모래 위를 걸은 듯 성수리가 갑자기 뜨끔뜨끔 아파진다. 나는 저녁을 먹자고 제안했다. 배는 불렀지만 참고 먹어야 만 할 것 같았다. 말없이 모퉁이 식당으로 들어갔다.

드르륵거리는 문소리에, 그녀의 발자국 그림자만 개발새발 밀려 들어오는 것만 같다. 다들 떠난 자리에 빈 그릇들만 덩그러니 식탁에 헝클어져 있다. 낡은 식탁과 의자, 문과 벽 천장에서 청국장 냄새가 깊숙이 베어 나왔다.

종업원이 한번 흘낏 보고는 고개만 한번 까딱거린다. 여자는 여전히 아무 말 없이, 두리번거림도 없이, 성큼성큼 빈자리에 가 앉는다. 나도 그녀의 맞은편에 자리를 잡았다. 나는 끈적거리는 식탁 위에 팔꿈치를 괸 채, 청국장 백반을 주문했다.

벽에 붙어 털털거리는 선풍기에는 먼지와 기름때가 켜켜로 쌓여 있다. 옆 식탁에 팽개쳐진 잔반에 파리 떼가 몰려 있다. 갑자기 모골이 송연해진다.

나는 여자를 쳐다본다. 까만 실을 길게 뒤로 묶은 그녀의 머리 위에도 파리가 앉는다. 앉은 채 몇 번을 방향만 틀더니 다시 날아 식탁 모서리를 거쳐 어디론가 사라진다. 그녀의 창백한 얼굴은 마론 인형처럼 가늘고 곱다.
나는 그녀의 초점 잃은 시선을 따라 차림표 옆 낡은 액자를 본다.

'삶이 그대를 속일지라도 슬퍼하거나 노여워하지 말라…' 푸시킨의 시가 기도하는 소녀와 함께 담겨 있다. 어릴 적, 이발소에서 본 것과 같은 것이다. 동네 목욕탕에서도 봤고, 시내버스에서도 봤다.

익숙하게, 잊히지 않을 만큼 보아 온 것이지만, 하루에도 수백 번 변화하는 감정의 골을 따라, 무심하던 글귀가 어느덧 내 삶의 버팀목으로 자리매김하는 순간이 올 때도 있었다.

바로, 머리를 자르러 간 입영소 이발소에서, 같은 액자를 마주하게 되었고, 나는 다가올 두려움을 애써 떨치기 위해 수없이 이 시구를 중얼거린 적도 있었다.

종업원이 엽차를 가져 왔다. 한 모금 마시려는데 쉰내가 확 풍기는 게 욕지기가 치밀었다. 속이 울컥하며 메슥거리기까지 하였다.

나는 순간 자리를 박차고 나갈까 하는 격한 분노에 휩싸였다가, 여자의 눈에 고인 반짝이는 이슬을 보고 말았다. 여자가 그만 만나도 괜찮다고 한다. 그녀는 입술을 깨물며, 기어드는 것 같은 말끝을 따라 희미한 한숨을 묻어 냈다.

그렇지만 나는 그저 액자만 보면서 중얼거릴 뿐이다.

'현재는 한없이 우울한 것…모든 것 하염없이 사라지나…지나가 버린 것 그리움 되리니…'

신의 땅 물의 꽃

남킹 장편소설

남킹 컬렉션 #003

심해

남킹 장편소설

남킹 컬렉션 #004

여자와 밤을 보낸 나는 아침에 그녀를 깨워 출근을 시키고 뜨거운 목욕을 한 뒤, 천천히 여관을 나왔다. 조용히 비가 내리고 있다. 인적없는 고요한 아침 골목에 새소리, 기차 소리, 자동차 소리가 낮게 흘러온다.

나는 편의점에 들러 김밥과 라면으로 아침을 때우고, 간이우산을 산 뒤, 까칠까칠한 입에 담배를 문다. 빗물에 반사되는 어렴풋한 빛의 이미지가 사방으로 튀었다.

학원에 가까이 이르렀을 때, 한 무더기의 새벽반 학생들이 우르르 몰려나온다. 해방의 기쁨을 느끼는지 혹은 경쟁 시대에 남들보다 한 발짝 더 나아갔다는 만족감의 표출에서 인지, 삼삼오오 짝지은 그들의 얼굴에 미소가 송골송골 맺혀있다.

낯익은 얼굴도 몇몇 눈에 띈다. 학원이 보너스로 제공하는 다양한 프로그램 멤버들이다.

예를 들면, 팝송반, 작문반, 영화리뷰반, 시사영어반 등등이다. 그들은 출근 전과 마찬가지로 퇴근 후에도 곧장 이곳으로 달려와 보다 나은 미래를 위해 아낌없이 인고의 시간을 할애할 것이다. 그들 중 몇 명은 나를 인지한 듯 꾸벅 인사를 하고 버스 정류장으로 서둘러

달려간다.

서두를 필요가 없는 나는 물끄러미 그들을 쳐다본다.

****

여관에서 회사까지는 버스로 세 정거장 거리다. 그래서 나는 잠시 망설이다가, 아직 이른 시간이라 그냥 걷기로 작정을 했다. 나는 자동차 소음으로 범벅된 대로를 피해 좁은 골목으로 길을 택하고 일부러 천천히 발길을 옮긴다.

현수는 나보다 천천히 걷는다. 남자와 같이 걷다 보면 어느새 내가 몇 발자국 앞서 있곤 한다. 무심히 걷다 보면 멀찍이 떨어져 있을 때도 있다. 나는 가다가 멈춰서 기다리고 그가 다시 나를 앞질러 가면 다시 간다.

남자는 일정하고 나는 빨랐다가 늦기를 반복하면서 그와 보조를 맞춰가며 가야만 했다. 남자는 거의 듣기만 한다. 나는 거의 말만 한다. 자연히 나의 음성은 커졌다 줄어들기를 반복한다.

희미한 아침 스모그 속으로 빗방울이 톡톡하며 떨어진다. 그러자 골목 어디선가 휘휘 거리며 돌풍이 달려들듯 스치며 지나간다. 쓰레기와 비닐들이 춤을 춘다. 나는 가방에서 양산을 꺼내 펼쳤다.

머리 위에서 톡톡 하는 소리가 정겹게 들린다.

나는 조금 전까지 누렸던 방의 따스함을 애써 되새김질하려고 노력한다. 남자는 두 손을 베게 삼아 드러누워 있었다. 남자의 품속에서 숨을 죽인 몸에는 아주 따스한 느낌이 감돌았다. 나는 계속해서 그에게 파고들어 가슴에다 나의 얼굴을 밀착하고는 미동도 하지 않은 채, 천천히 오르락내리락하는 그의 숨소리를 들었다.

방안은 언제나 담배 연기로 가득했다. 사각거리는 이불 속에서 정액 냄새와 싸구려 방향제 냄새가 부스스 섞어 올라왔다. 나는 그냥 이렇게 영원히 있고 싶은 간절한 마음뿐이었다.

하지만 1시간 후에, 나는 들어 왔을 때와 변함없는, 지나치게 굳은 표정으로 거울 앞에서 옷매무새를 마치고 출근을 서둘렀다. 반쯤 열려 있는 커튼 사이로 삐죽 삐져나온 흐린 햇살이 조롱기를 머금고 차가운 현실을 일깨우고 있다.

그러다 나는 문득 거울 속에 있는 남자를 들여다봤다. 담배를 문 채, 천장의 한 곳을 무신경하게 바라보고 있는 그 남자를 말이다. 그는 햇살이 끊어진 위치에 놓인 간이소파에서 벌거벗은 채, 한 손으로 관자놀이를 받친 채, 무아경의 세계에 도취해 있는 듯하기도 하고 혹은 자기만의 세상에 갇힌 자폐증 인간처럼 보였다.

어쩌면, 그는 나를 사랑한다, 혹은 좋아한다고 한 적이 없고 나를 만나 행복하다 혹은 즐거웠다는 생각도 해 본 적이 없는, 지독한 에고이즘 환자일지도 모르겠다. 아니면 어릴 적 나르시시즘에서 아직 잠이 덜 깰 소년일 수도 있을 터이다.

그는 '오늘 하루쯤 병가 내고 나와 더 있는 게 어때?' 하는 제안을 하지 않을 지구 최후 인간의 모습으로 앉아 있었다.

'그는 도대체 무슨 생각으로 살아가는 걸까?'
'나에 대해 단 일 분이라도 생각은 하는 걸까?'

나는 스스로 제어할 수 없는 빠듯한 한계점에서, 그의 생각을 떨쳐 버리고, 긴장과 우울이라는 공간 속으로 다시 나를 구겨 넣기 위해 발걸음을 재촉하기 시작했다.

굵은 빗방울이 떨어지기 시작한다. 바닥이 삽시간에 젖어 든다. 마치 무언가 고요함과 정적에서 튕겨 나오는 듯하다. 사람들의 발걸음이 빨라지고 자동차 경적도 더 크게 들려온다.

'아버지는 깼을까? 오빠는 지금쯤 어디서 뭘 하고 있을까?'
'남자는 여관에서 나왔을까? 아침 먹을 돈은 갖고 다니는 걸까?'

남자에게 물어보지 않은 게 갑자기 후회되기 시작할 때쯤, 나는 회사 입구에 도착했다.

남킹 컬렉션 #011

1월의 비

남킹 감성 소설집

남킹 컬렉션 #012

남킹의 문장 1

언어의 마법사 남킹의 문장들

삶이 그대를 속일지라도 5

건너 주차장 쪽에서 과장의 모습이 흐릿하게 보였다. 차에서 내린 그는 우산을 펼치고 차에 탄 누군가에게 손을 흔든 뒤, 차 문을 닫는다. 차는 천천히 오던 길을 돌아서 대로를 꽉 채운 차들 홍수 속으로 빠져든다.

과장은 본사에서 좌천된 인물이다. 좌천이라는 표현에 약간의 의구심을 느끼지 않는 것은 아니지만, 입사 동기 중 가장 빨리 과장으로 승진했고 본사 인사 부처라는 핵심 요직에 근무하던 이가 갑자기 지방으로 내려와 한직에 불과한 품질관리 부서를 맡게 되었다면, 누가 봐도 이건 미운털이 단단히 박힌 꼴이다. 그래서 그의 주변에는 여러 가지 설과 알 수 없는 풍문들이 꼬리를 물고 돌아다닌다.

그의 독주를 두려워한 동기들의 모함이라는 설에서부터 회사 실세인 부회장의 딸을 건드렸다는, 터무니없는 실소를 자아내게 하는 소문까지 퍼졌다.

여직원들은, 화장실, 복도, 계단, 옥상, 탕비실, 혹은 회식 자리에서든 가리지 않고 그에 대한 기묘한 이야기를 전파하고 채색하고 분석한다. 그리고 그 이면을 잡아끄는 이러한 관심에는 틀림없이 그가 아직 미혼이고 한때 전도유망한 젊은이였으며, 추락이 가져다준 동질

감 내지는 연민이 짙게 깔렸기 때문일 것이다.

그러나 정작 본인은 태연하다. 상하를 가리지 않고 모든 직원에게 친절하며 또한 성실하다. 그는 본래부터 이 자리가 그의 것이었으며 세상의 야망이나 욕심에는 태연한 듯 살짝 비켜주고 있는 것 같이 보였다.

그는 미소를 잃지 않는다.

열 명쯤 모인 회식 자리에서 그는 항상 미소진 모습으로 앉아 있다. 낯가림이 심해, 이야기를 이끌지도, 주위 사람들과 스스럼없이 농담도 주고받지 않은 채, 귀를 기울이고 조용히 앉아 술잔을 기울인다. 모두가 웃으면 함께 웃기만 한다. 누구와도 마음을 터놓지는 못한다. 그러나 그에게는 태생의 기품이 서려 있다.

그래서 나의 사무실에 있는 남자 둘은 한직으로 밀려난 공통분모를 지니고 있으나, 그 분자는 판이하게 상반되었다.

하나는 말초적 본능에 사로잡혀 혀끝과 손끝을 잘못 놀리는 바람에 공공의 적으로 낙인찍혀 끝없는 입방아에 올라 있다면, 나머지는 세상의 모함과 부조리에 희생된 양으로 전락하여, 여자들의 지속적 동정과 관심을 한몸에 받는 것이다.

그런데 어느 날 과장에게 여자가 나타났다.

그 징조는 그의 책상에 라벤더가 놓이고 나서다. 두 달 전 어느 날 갑자기 여자가 나타나서는 그 곁에 계속 머무는 것이다. 여자는 오전 출근 시간보다 조금 이른 시간에 남자를 회사에 데려다주고 퇴근 시간보다 조금 늦은 시간에 나타나 그를 데려간다. 즉, 동거하고 있다는 뜻이다.

하나둘 직원들의 목격담이 늘어나고 그에 곱절이나 해당하는 소문들이 무성하게 부풀려 번져갔다. 가뜩이나 눈엣가시처럼, 저와 다른 부류의 인간들에게 느끼는 시기와 질투로 똘똘 뭉쳐, 탐탁지 않게 여기던 부장은, 과장이 자리를 비우면, 예의 그의 내연녀에게 전화를 걸어, 어둡고 칙칙한 온갖 종류의 험담을 늘어놓기 시작한다.

그의 입에서 과장은 천하의 호색한으로 그려지고 반사회적 불륜으로 총칭되는 것이다. 그리고 날이 갈수록 그에 대한 부장의 태도는 불량스러워지고 말버릇도 고약하여 요즈음은 노골적으로 깔보는 듯하여 지켜보는 나를 안쓰럽게 만들기도 한다. 그러나 그 모든 홀대를 바보라도 느낄 수 있음에도 불구하고, 과장은 여전히 온화하고 친절하고 상냥했다.

그러기에 미스테리한 그 여인에 대한 궁금증만큼이나 나는 그의 처지가 너무도 안타깝다. 세상은 언제부터인가 나쁜 놈 전성시대가 되었다.

나쁜 놈이 더 잘 벌고 더 잘살고, 나쁜 놈이 권력을 더 많이 지닌 것처럼 보였다. 비열한 거리에는 비열한 인간들이 참을 수 없을 만큼 많이도 활개 치고 다니는 것처럼 보였다.

****

피곤한 몸을 겨우 이끌고 집으로 갔을 때, 아버지가 전기밥솥에 쌀을 안치는 모습을 보았다. 거적때기 같은 옷. 눈가에 몰린 잔주름과

이마를 덮은 굵은 주름, 잠을 잘 자지 못한 듯한 퀭한 눈을 나는 물 끄러미 쳐다봤다. 갑자기 콧날이 메워져 나는 서둘러 방으로 들어갔다.

아버지가 밥을 한다는 것은 오빠가 돌아왔다는 뜻이다. 오빠는, 부엌에서 꺾여 붙은 뒷간 방 침실에 널브러져 자고 있다. 땀에 전 잠바가 구석에 내팽개쳐 있다. 눅눅해진 이불 냄새와 지린내가 코를 얼얼하게 만든다.
아궁이에서 퍼져 나온 연탄 냄새와 도살장에서나 맡을 수 있는 비릿한 피 냄새도 섞여 나오는 것 같다. 나는 잠바를 집어 벽에 박은 못에다 걸었다. 빨지 않은 옷에서 나는 악취가 마치 내 몸을 훑아 내리는 듯 소름이 끼쳐 온다.

오빠의 몸은, 싹이 터서 썩기까지의 모든 생명의 과정에서 뿜어져 나오는 모든 냄새를 흡입한 해면동물처럼 느껴졌다.

밥 냄새를 맡았는지 오빠가 슬그머니 고개를 돌리며 눈을 뜬다. 잠깐 눈을 껌뻑거리더니 부스스 일어나 밥상 곁으로 다가온다. 오빠가 나를 보고는 싱긋 웃더니 가져온 가방을 열어 보라고 한다. 한 뭉치의 돈다발이 나왔다.

가끔 돈뭉치를 들고 개선장군처럼 올 때가 있다. 큰 거 한방 하고는 미련 없이 돌아왔다고 한다. 이제 완전히 손 끊는다고도 한다. 하지만 그의 말은 나의 폐부만 찌른다. 그는 절대 끊지 못할 것이다.

그는 며칠 뒤 다시 떠날 것이고 예전처럼 빈털터리로 돌아올 것이다.

오빠는, 수 없이 반복했고 또 앞으로도 더 많이 반복할, 실행 불가능한 그 결심을, 마치 처음인 양, 기대에 부푼 표정을 오롯이 담은 얼굴로, 게걸스럽게 밥을 먹기 시작했다. 유심한 나날을 사느라고 각축하고 고달픈 내 가족들의 저녁 시간은 이렇게 무심한 동상이몽으로만 흘러가고 있다.

저녁이 끝나자 부자는 서둘러 집을 나선다. 그들은 새벽 어스름이 될 때까지, 너무도 사랑하는 개 수육을 안주 삼아 막걸리를 마실 것이다. 떠나기 전 오빠는 용돈 하라고 한 뭉치의 돈을 내게 던져 준다. 순간 오빠의 표정에서 묘하게, 떠나간 남자의 실루엣이 교차한다.

그들은 내게 준 돈보다 더욱 많은 돈을 두고두고 내게서 빼가게 될 것이다.

<끝>

거리를
비워두세요

남킹 음악 에세이

남킹 컬렉션 #020

사랑 그 쓸쓸함에 대하여

남킹 음악산문

지금 만나러 갑니다. 1

기차는 도착하고 낮은 여전히 선선하다. 낯선 도시에 첫발을 디딘다. 하늘은 낮고 기분은 높다. 상쾌한 바람이 콧등을 누비고 가벼운 발걸음의 행인이 오간다. 도시의 짙은 향이 훅 들어온다. 나는 잠시 발걸음을 멈춘 채, 이방인이라면 의당 그러하듯이, 낯섦을 포옹하기 시작한다. 새로움이 주는 향긋한 신비로움 혹은 고상함. 시간에 비례하여 욕망의 폭과 깊이에 빠지고 있다. 나는 예약한 호텔을 표시한 내 비게이션을 다시 확인한다.

그녀를 처음 만날 것이다.

붉고 선명한 입술과 푸른 눈동자. 가슴이 봉긋 두드러진 반투명 명주실 티셔츠와 하늘하늘한 자주색 랩스커트가 펄럭인다. 그녀는 스프러스 나무에 기대고 있다. 혹은 버버리 체크 코트로 무장한 단정한 모습으로 보라색 엉겅퀴꽃을 바라보고 있다.

나는 플랫폼을 서서히 지나 광장의 탁 트인 하늘로 걸어간다. 모든 생경함은 설렘을 준다. 가보지 못한 곳. 익히 알지 못하는 이곳. 나는, 조금 전까지 아무것도 없는 까만 공간을, 나의 도착으로, 마침내 그려낸 한 폭의 풍경화를 대한다는 착각을 종종 하곤 한다. 사실이 무엇이든 그저 좋다.

도시란, 사람과 마찬가지로, 당신의 모습을 반향한다.

다른 도시들과 마찬가지로, 여기 또한 무질서, 단정함, 직선과 곡선, 스멀거리는 연기와 무심한 행인, 시선을 사로잡는 광고판, 매끈한 길과 투박한 도로, 정적이지만 꿈틀대는 규칙, 모든 바람의 혼란과 지저분함의 흔적들로 이루어져 있고, 그것은 마치 하늘과 나무, 건물과 인간의 소재들이 버무려져 내는 거대한 그림판과 같다.

그녀가 가까이 살고 있다. 설렘과 흥분, 기우와 기대가 복잡하게 얽힌다. 숨은 단속적으로 짧고 얕게 흐른다. 살아있음을 아끼게 한다.

보라색 꽃 사진들이 눈에 띄네요.

네, 전 보라색을 좋아해요. 옅은 보라, 짙은 보라, 우울한 보라.

뭐로 살아가요?

네?

그러니까…. 뭐, 직업 같은 거 말입니다.

아, 네. 직업요? 무직이에요. 취직이란 강탈당하고 지루해 죽는 것의 다른 이름일 뿐이에요. 그래서 안 하려고요. 하는 족족, 마치 깊은 모서리에 찍힌 것처럼 긁힌 자국만 남아요.

그럼 어떻게 살아요?

그냥. 그럭저럭 살아요. 부모님 도움도 좀 받고요. 사진도 좀 팔고요.
아르바이트도 한 번씩 하죠. 돈이 아주 궁하면요.

그럼 사진작가인가요?

그냥, 누군가 제 사진을 좋아하는 사람들이 있더군요. 대체로 나이
든 사람이지만…

당신이 저를 고른 건 제 나이 때문인가요?

아뇨, 딱 그런 것은 아니에요. 하지만 나이 든 사람이 편해요. 그리
고 당신 미소가 좋았어요.

아, 네. 감사합니다. 저하고 10년 이상 차이가 나는데 괜찮겠어요?
저는 진지하게 사귈 여인을 찾고 있습니다만.

상관없어요. 제 마음이 가는 데로 저는 가거든요. 그냥 좋으면 좋고
싫으면 싫다고 얘기할 거예요.

저에 대해서 좀 아세요?

자신도 미처 알지 못하는데 당신을 어떻게 알겠어요? 그냥 단지, 당
신 표정에 끌릴 뿐이에요.

하지만 중년의 모습이잖아요.

예전의 바보 같은 관계 실패 속에서 몇 가지 배운 게 있다면, 껍데기에 현혹되지 말라는 겁니다. 죄송해요. 속어를 사용해서. 저는 그냥 그래요. 사랑은 아무것도 아니라고 생각해요. 그냥 시선으로 끌어내는 관계일 따름이죠.

가볍다는 뜻인가요?

원래 인간이 가볍잖아요.

하지만 남자는, 왜, 그런 거 있잖아요. 두려우면서도 그 빛 속으로 뛰어드는 나방과 같이…. 특히, 자기 여자에 관해서는 말입니다. 깊이 빠져드는 그 무엇인가가….

어쩌면 그래서 당신에게 끌릴 수도 있을 거예요. 마치 증명사진 같은 딱딱한 소개 사진 속에 맹목적으로 누군가에게 빠지고 헌신하는 모습을 느꼈거든요. 레토릭이 아닌 진심 말이에요.

당신이 사는 곳은 어떤 곳인가요?

뭐, 그저 비슷해요. 다른 도시랑.

그래도 뭐, 특징이 있을 거 같은데요.

있죠. 특징은 많죠. 아주 큰 광장이 2개가 있고 지나치게 많은 사람이 누비고 다니죠. 정복을 기리는 기념탑이 곳곳에 있고, 반대로 독립을 상징하는 큰 건축물이 도시의 4면에 배치되어 있죠. 즉, 정복하고 정복당함의 대상이 될 정도로 요긴하거나 아름다운, 혹은 탐스러운 곳이라고 봐야겠죠. 바로 제가 사는 이곳 말이에요.

당신을 만나 봐야 할 요건이 또 하나 추가되었네요. 하하하.

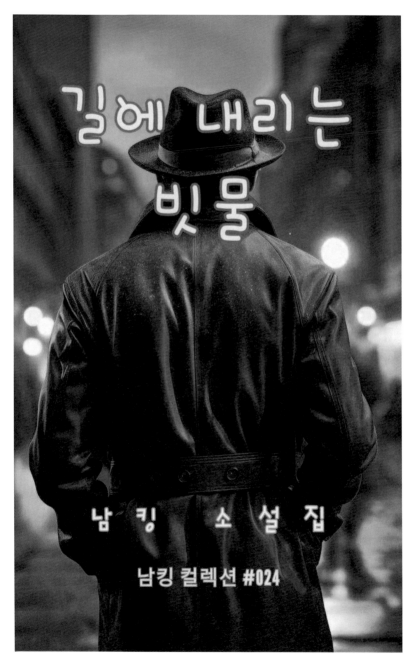

길에 내리는 빗물

남 킹 소 설 집

남킹 컬렉션 #024

서글픈
나의 사랑

남 킹 장 편 소 설

남킹 컬렉션 #025

지금 만나러 갑니다. 2

노랗고 성긴 그물들이 곳곳에 설치된 조형물들 사이로 까만 탑들이 보였다. 비둘기가 무리 지어 후드득 날고 그 사이로 아기가 위태로운 발걸음으로 뛰어간다. 평화롭다. 마음은 언제나 생각을 조정한다. 조작된 생각은 꾸밈이 주는 행복에 가끔 취해버린다. 따스한 초저녁이다. 나는 내 인생의 겨울에 누군가를 사랑하거나 그리워하는, 일종의 반전 드라마가 있을 줄은 전혀 생각하지 못했다. 이별이 이어지고 낙담다운 징조가 늘 뚜렷하게 따라왔다. 낮게 드리운 무거운 구름.

알 수 없는 불안감이 세월의 무게만큼 쌓였고, 차츰 뚜렷한 절망으로 변해가는 상황을 목격하고 있었다. 그냥 방전된 배터리로 간주했다. 그러던 어느 날, 버리기 전에 혹시나 해서 끼워 플래시를 켜 보니 눈부시게 환한 감정이 밝아왔다. 놀랍고 좋았다. 버리지 않고 모아두길 잘했다.

그런 의미에서 인터넷과 스마트 폰, 앱의 탄생이 내 삶의 은인이다. 타자와 연결될 수밖에 없는 우리의 외롭기 그지없는 존재. 자신의 코나투스 보존에 이처럼 살뜰하게 좋은 수단이 있었을까?

투명한 녹색 눈을 반짝이는 프로필 사진을 줄곧 쳐다봤다. 몇 장은 극단적인 명암 대비 효과를 적절하게 집어넣었다. 서른 살에 걸맞은 아름다움을 걸치고, 미소에는 삶의 기쁨이 배어 있다. 이목구비가 선명하다. 그리고 무척 가늘었다. 홀쭉한 목선을 따라 보라색 혈관이 도드라진다. 가슴은 착 달라붙었고 사타구니는 주먹이 하나 들어갈 정도로 넓었다. 둥근 티타늄 안경. 금색 머리는 말총으로 묶여있다.

광장 포석에서 얇은 치마를 날리며 입술을 닫은 채, 웃고 있는 모습. 잘 된 작품에는 경련을 일으킬 것 같은 치밀한 환상이 흘러넘친다. 나는 그 속을 즐거이 유영한다. 첫 2주 동안 우리는 매일 대화를 나눴다. 시간이 지날수록, 그녀를 향한 알 수 없는 감정선이 높고 깊어졌다.

가까이에 사는 것 같은데…. 차로 한 2시간 정도…
네, 그래서요?
만날 수 있을까 해서요?
뭐, 사랑하거나 좋아하면 얼마든지 만날 수 있죠. 당연히 만나야겠죠.
그럼 저 좋아해요?
네.
그럼 만나도 되겠네요.

그렇다고 봐야겠죠.

만나서 같이 잘 수 있어요?

자는 게 목적인가요?

사랑이 목적입니다.

사랑을 빙자한 욕망 추구는 아니고요?

아름다움 혹은 사랑이 선사하는 육체적 끌림에 단지 충실할 뿐입니다. 추잡한 남자의 뻔한 욕망이라고만 깎아내리지 않는다면 말입니다.

노력하지만 그저 퉁명하게 질문할 수밖에 없군요. 변태인가요?

당신이 그렇게 규정한다면 그렇다고 봐야겠죠. 단어의 정의는 사람마다 다르니까.

그저 당신은 섹스를 위해 피상적인 만남을 가지려는군요.

제가 누굴 탓하겠습니까? 사랑을 지나치게 고상하게 만든 옛사람들의 잘못인데. 장담하건대, 한 100년쯤 지나면 거리에서 누구나 자유롭게 섹스하는 세상이 될 겁니다. 지금 길거리에서 키스하듯이.

하하하.

하하하. 수긍의 답변으로 받아들이겠습니다. 세상 사람이 이 만남 앱에서 목적하는 바를 세세하고도 명확하게 표현하기 시작한다면 거의 모든 인간이 속물스럽기 짝이 없는 변태일 겁니다. 저는 그냥 성의 굴절이라고 부릅니다. 그다지 절절하게 분노할 필요는 없을 듯합니다.

무척 따사로운 표현이군요. 뭔가 좀 애잔하기도 하고요. 성의 굴절. 에둘러서 표현한 당신의 욕정. 쌉싸래한 맛이 느껴지는군요. 무용의

유용성 같은 것인가요?

저는 단지 사랑으로 부푼 가슴속에 잠들고 싶을 뿐입니다. 바로 당신 품속에…

'하지만 아직 몇 시간을 더 기다려야 한다.'

남킹 SF
소설집

브 런 치 스 토 리

남킹 컬렉션 #026

버스 민폐녀

남킹 슬픈 이야기

남킹 컬렉션 #027

나는 곧은 길이 끝나는 곳에서 바람과 사람과 샛별과 가로수 불빛을 다정하게 쳐다본다. 시간은 지나치게 상대적이다. 기다림은, 시간을 아주 가늘고 진득한 고무줄처럼 길게 길게 잡아 늘이고 있다.

그 전에 나는, 내 여인의 도시를, 될 수 있는 대로 많이 훑어볼 생각이다. 그녀가 남긴 발자국을 상상하고, 그녀가 걸터앉은 카페 의자를 추리하고, 그녀가 피우다 흘린 담뱃재를 품은 바람을 맞을 생각이다. 나의 눈과 코와 귀, 피부는 일련의 순간을 포착하는 방법으로 예민해진다.

날래고 눈치 빠르고 꾀바른 새들이 무리를 지어 가로수와 가로수를 이어간다. 인간이 만들어 낸 인조 그대로의 냄새가 느린 발자국 사이에 어우러진다. 그리움이 나의 걸음을 규정한다. 얼마나 시간이 흘렀을까? 아쉽게도 내가 들여다본 시간은 거의 정지한 듯하다. 하지만 어둑어둑해진 도시는 이미 내 곁에서 온기를 가져간다.

우리는 가끔 서로의 사진을 교환하기도 했다. 나는 그중에 가장 멋진 그녀의 사진을 인화하여 스와로브스키 둥근 액자에 담아 두었다.

제냐는 야외 카페에 앉아있다. 갈색의 둥근 테이블. 투명한 하늘. 박하 잎 아이스 복숭아 벨리니 칵테일이 담긴 유리컵, 포크와 나이프. 그것을 감싼 쥐색 종이 냅킨. 두툼한 녹색 잎과 붉은 꽃을 단 투박한 선인장 화분. 여자는 배에 두 손을 모은 채 은은한 미소를 보낸다. 미소진 볼에 주름이 보인다.

당신의 예전 사랑은 어땠나요?

비참했죠. 경박한 바람둥이를 만났거든요. 여자와 하는 이상한 줄다리기에 빠진 인간이었어요. 아마도 여자가 그에게 넘어오는 순간, 그는 자기 삶에 대한 당위성을 얻는 것처럼 보였어요.

그래서 절교를 한 건가요?

사실 절교도 필요치 않았어요. 그냥 눈에 띄지 않으면 되었으니까요. 그래서 꽤 많은 시간이 흐르게 되면 그도 느끼겠죠. 우리가 다른 곳을 향하고 있구나 하고. 아무튼 헤어진 것이 거의 확실하다고 느낄 때쯤 해서 저는 무척 바쁜 일들을 심하게 처리하면서 다녔어요. 그렇지 않으면 미쳐버릴 것 같았거든요.

결국 헤어졌군요?

모르겠어요. 오래전 일이라…. 그렇게 견딜 수가 없을 때가 있었는데…. 그런데, 갈등이 사라지니 그것마저 그리워지더군요. 물론 꽤 많은 시간이 흐른 뒤에….

한적한 골목으로 들어서자 바람이 곁을 지킨다. 속삭이듯 연하고, 수줍은 듯 주춤거리며 다가오다 문득, 부드럽게 어루만지다, 멀어진 듯하더니 다시 돌아온다.

강을 품은 바람 냄새가 나곤 해요. 인적이 드문 골목에 서면 확연히 느낄 수 있어요. 좋은 냄새 말이에요. 당신에게 주고픈 향기 말이에요.

너무 차갑지 않았으면 좋겠네요.

늘 당신은 그게 걱정이죠. 알아요. 선한 마음은 그냥 아무 말 없음에도 묻어나곤 하죠. 하물며 우리가 본적도 만난 적도 없지만 이렇게 따스함을 느끼잖아요.

분홍빛, 노랑, 하얀색 집들이 다다다다 붙은 좁은 골목이 휘다 반듯하고, 좁았다 넓어지기도 한다.

그냥 골목골목을 휘젓고 다니죠. 익숙한 곳이지만 늘 새롭게 나타나죠. 미처 보지 못한 것일 수도 혹은 그냥 내 기억에 사라진 것들도 있겠죠. 어쩌면 조물주가 장난삼아 하나 정도는 살짝 순식간에 집어넣은 것일 수도 있고요.

신의 존재를 믿는가요?

아뇨, 믿지 않아요. 그냥 우연히 태어났고 그렇게 사라질 거로 생각해요. 사실 제가 생각하는 이것도 머릿속 어딘가의 화학작용에 기인한 결과일 뿐이죠.

그거 너무 비관적인 거 아닌가요?

아뇨, 오히려 반대로 편안해요. 모든 것에서 벗어날 수 있으니까요. 가장 거추장스러웠던 남들의 시선도 이젠 다정한 눈길로 바라볼 수 있게 되었거든요. 규칙, 규정, 관습, 걱정, 불안, 미련 같은 용어들이 제게 남지 않아요. 그 대신 늘 사랑을 꿈꾸죠. 당신을 만난 건 행운이고요.

그리움이 가슴을 옥죈다. 걸음 마다에 갈증이 붙어있다. 한패의 남녀가 쾌활한 웃음을 흘린다. 정감을 담은 눈길이 마주치고 미소가 뒤를 따른다. 행복을 품은 인사가 다가온다.

할로, 할로, 할로.

좁은 골목이 끝나고 넓은 광장이 나타났다. 물소리가 들리고 다양한 소음이 퍼진다. 요란한 분수대가 나타났다. 제냐의 모습이 영상 속에 펼쳐진다.

햇빛과 반사되는 물안개 속에 그녀는 환한 미소로 삶을 즐긴다. 따사로운 여름 햇살. 그녀는 튀어 오르는 물방울 속에서 짓궂은 표정으로, 마치 영화의 주인공처럼 쾌활하다.

도시에 오면 꼭 이 분수에 들러 주세요.

꽤 독특하군요.

재밌고 신나요. 혼란스럽고 산만하잖아요. 어릴 적 제 방처럼요. 어쩌면 질서정연함은 우주의 근본이 아닐 수도 있다는 생각이 들어요. 모든 것은 대혼란에서 시작되었으니까요. 물론 제 머릿속은 아직도 혼돈으로 가득하지만, 주위를 둘러보면 놀랍도록 깨끗하게 정돈되어 있어요. 제가 이렇게 되리라곤 누가 상상이라도 했겠어요?

그녀는 가슴을 출렁거리며 한껏 요염한 뒤태를 보인다.

이 영상 저를 위해 찍은 거는 아니겠죠?

하하하. 물론 아니에요. 당신을 알기 꽤 오래전에 촬영했거든요. 제 동생의 손과 풋풋한 미소를 보세요? 지금은 아주 징그럽게 커졌어요. 냄새도 나고요. 하하하. 정말이지 징글징글하게 말도 안 듣고요.

화려하고 복잡한 로코코 양식 위에 걸터앉아 무진장하게 넓고 잘 정돈된 정원을 배경으로 소녀는 무척 밝게 웃고 있다. 그러다 어느새 시장 좌판 속에, 푹석한 먼지에 파묻혀, 낡고 오래된 것들에 둘러싸여, 흐린 미소를 보내기도 한다.

그동안 당신은 몇 번이나 사랑에 빠졌나요?

솔직한 대답을 원하나요?

네. 어차피 당신이 어떤 대답을 하더라도 비난하거나 욕할 사이는 아니잖아요?

그런 사이가 될 가능성이 있으니까 문제죠. 미래 어느 시점에 말입니다. 운명처럼.

하하하. 뭐 그렇게 되더라도 상관없어요. 어차피 저도 사랑에 관하여, 세상의 하찮기 짝이 없는 도덕과 관습, 규율에 충실한 것은 아니었으니까요.

많아요. 무척 많아요. 셀 수도 없이 많아요. 어떤 때는 길을 가다가 지나치는 여인에게 홀딱 빠질 때도 있어요. 물론 찰나와 다름없지만.

음…. 제가 질문을 잘못 드린 것 같군요.
아뇨, 제가 죄송합니다. 현문우답. 헤헤헤.
그럼, 첫사랑은 언제였나요?

사실, 첫사랑이 명백하지 않습니다. 남녀의 차이를 인식하기 시작할 때부터 몇몇 여인들에게 강한 끌림을 느꼈으니까요. 하지만 첫 경험은 정확히 기억합니다. 그건 잊을 수가 없죠.

좋았나요?

그저 총각 딱지를 떼게 한 바람 같은 것이었어요. 하지만 페가수스를 탄 듯 황홀했죠. 틀림없이. 지금도 기억이 생생하니까. 정갈하고 환한 천국이라 생각했어요. 다만 칙칙하고 어두운 골방 같은 창고여서 좀 그다지 낭만답지는 않았어요.

여러 번 한 거예요?

처음이니까. 당연하게도. 모두 다 그래요.

첫날은 원래 많이 하는 건가요?

시작은 원래 그래요. 새로움은 신비롭고….

그래서?

음…. 의기충천하게 되지요. 재치도 번득이고.

재치?

응. 어릴 때 무척 낮은 존재감으로 살았거든요. 세상의 모든 연인을 시기하면서 말입니다.

그게 재치와 무슨 상관이에요? 정말 두서없이 말을 하는 것 같군요.

크크크.

음···. 맞아요. 딱히 재치가 적합한 단어는 아닌 것 같군요. 뭐랄
까??? 뭔가 적합한 단어가 생각이 안 나네요.
그리고는 또 뭐가 생각나세요?
아팠어요.
몸이? 마음이?

둘 다요. 여자가 힘들고 지치고 아픈 듯이 슬리퍼를 질질 끌고 나가
는 모습을 그냥 지켜봤어요. 경박스럽다고 생각했어요. 누워서. 멀찍
이 떨어진 채로. 뭐 나도 많이 지쳤으니까. 모든 황홀함 뒤에는 쓸쓸
함이 느껴지고는 하잖아요. 동시에 삶의 척박함을 그 기준으로 바라
보게 되었어요. 그때부터 오한이 들기 시작했고요. 사흘을 꼼짝없이
누워 있었어요.

또 기억나는 거는요?
또 다른 관계를 이루기 위한 숱한 시간 낭비가 있었죠. 하지만 기억
은 중독으로 이어지죠. 오로지 향기와 피부의 마찰을 통해서만 영감
을 받았거든요. 내 삶 대부분의 불행은 권태로움에서 비롯되었어요.
그래서 여자를 심하게 쫓아다녔어요. 만남이 아찔한 경이가 되던 시

질이었죠.

전, 그런 관계에 관해 무지막지하게 많은 것들이 알려졌으므로 인해 좀 시큰둥한 편이에요.

사랑이란, 하는 것, 할 수 있는 것만 하는 것이 아니라, 할 수 있었던 것, 하면 안 되는 것까지 해야만 하는 것이라는 우스갯소리 들어본 적 있어요?

하하하. 혹시 주위에서 당신을 속물이라고 하지 않던가요?

뭐, 그럴 수도 있겠죠. 만약 제 머릿속에 떠도는 생각을 그대로 글로 나타내는 기계가 있다면 전 틀림없이 파렴치한 성애주의자로 낙인이 찍혔을 겁니다. 아마. 하지만 저는 그렇게 생각합니다. 세상의 인간은 다 저와 같을 거라고. 단지 얼마나 잘 숨기고 아닌척하느냐 하는 차이뿐이죠.

와, 당신의 솔직함에 경의를.

제가 생각하는 것은…. 음…. 모든 사랑의 순간은 단 한 번뿐이라는 거죠. 다시 돌아오지 않죠. 그러한 사실을 완전히 깨우쳐야만 진정한 사랑이 성립된다고 봅니다. 괜히 좋아하는 척, 황홀한 척할 필요 없죠. 그건 그냥 교묘히 피해 가리는 수작일 뿐이잖아요. 진지하게 그냥 맞닥뜨려야 해요. 두려워할 게 전혀 없죠. 어차피 우린 지푸라기처럼 약한 존재니까. 세상의 이목? 아무것도 지출하지 않으면 아무것도 얻지 못한다고 봐요. 그냥 저지르고 보는 거죠. 그러면 된다고 봅니다. 그것뿐입니다.

음…. 본능적으로는 당신의 제법 공격적인 생각에 반기를 들고 싶은데…. 사실을 사실이라고 말하는 용기에는 손뼉을 쳐주고 싶네요. 아무튼, 첫 만남부터 우린 아주 오랜 연인처럼 속마음을 속삭일 수 있으리라 기대합니다.

브런치 스토리

남킹 사랑 소설집

남킹 컬렉션 #028

남킹 스토리

브런치 스토리

남킹 컬렉션 #029

지금 만나러 갑니다. 4

313호 카드키를 받았다. 홀은 대리석으로 매끈하고 음악은 <프랑수아즈 아르디>로 상큼하다. 장식이 지나치게 큰 창에 무겁게 담겨있다. 시스티나 천장화 사진들이 손바닥 크기로 옆 벽면을 나란히 채우고 있다. 안팎 두 겹으로 매달려 올라간 비단 커튼이 가볍게 살랑거린다.

계단을 이용해 3층 복도로 올라갔다. 큰 걸개 사진이 눈에 띈다. 오래된 중세 수도원과 검은 땅에 자란 풍족한 포도밭이 언덕 전체를 끝도 없이 덮고 있다. 흥분 속에 발걸음이 휘청거린다. 두려움과 설렘이 시시각각으로 교차한다. 왼편 309호에서 맞은편 310호, 다시 맞은편 311호.

우리의 방으로 향하는, 발끝이 내딛는 곳마다 공간이 살짝살짝 흔들린다. 자신이 예전에 전혀 알지 못했던 내밀한 세계에 푹 빠진 느낌이다.

생각보다 아담한 크기의 방이었다. 침대 바로 위에는 <앙투안 바토>의 작품이 걸려있다. 나는 서둘러 그녀에게 메시지를 보냈다.

'Blauer Fluss Hotel Room 313

당신이 말한 호텔에 방을 잡았습니다. 와인도 준비했습니다. 여기서 당신이 올 때까지 영원히 기다릴 겁니다.'

답장은 곧 왔다.

네. 무모하기 짝이 없는 당신이 궁금해서라도 서둘러 가야겠네요. 고마워요.

샤워를 마친 나는, 화장실 옆 작은 창에 의자를 가져와 걸터앉아 검은 도시를 바라봤다. 적막과 한적함으로 둘러친 커튼이 바람을 안고 속삭인다. 옅은 어둠 사이로 가로등이 박혀 있다. 그리고 창을 반쯤 열었다. 어둑한 침실 끝에 반사된 거울 빛이 들어왔다. 밝지도 눈부시지도 않은 내 속에 그녀가 꿈틀댄다. 그냥 죽어도 좋다고 생각한다. 어차피 죽을 거. 그냥 성욕에 몸서리치다가 가는 것도 나쁘지 않아 보였다.

노란 전조등과 속도가 만든 도로의 선들이 수백 가지의 흐린 소음과 얽힌다. 차들은 뒤엉키고, 잠시 멈칫거리더니, 이내 빠르게 흐르다가, 다시 평온한 흐름으로 바뀌었다. 도시의 친근함에 빠져든다. 하지만 여전히 시간은 지독하리만큼 느리게 흐른다. 아직 4시간을 더 기다려야 한다. 애간장을 끓게 만드는 첫 만남의 신비. 나는 유튜브에서

\<Archive\>의 노래 \<Again\> Long version을 튼다. 그리고 새틴 웨딩드레스에 휘감긴 그녀를 상상한다.

이윽고 휴대전화 액정이 밝아진다. 그리고 익숙한 알림 소리가 들린다.

'당신의 친구, 제냐가 가까이에 있습니다. 축하합니다.'
화면에 그려진 지도 속에 반짝이는 하트 이모티콘. 800m도 채 되지 않는 곳에 내 여자가 나타났다. 생각보다 이른 시간에 나타난 그녀가 반갑기 그지없다. 나는 노래가 끝날 때까지 기다렸다. 하지만 그녀는 더 이상 가까워지지 않고 있다. 나는 잠시 머뭇거리다 옷을 다시 입는다.

나는 두 귀 있는 데까지 모자를 꾹 눌러 고쳐 쓰고는 바깥으로 나왔다. 무심한 고즈넉함이 공간을 메웠다. 사람들이 여기저기 모여 웅성거리는 소리가 귓가를 스쳤다. 보름달은 벌써 흐릿한 구름 뒤로 사라졌다.

밤이 유리창을 모두 덮었다. 그렇게 누렇고 뿌연 도시가 자신을 감쳤다. 바람은 한기를 머금었다. 걸을 때마다 바지가 사각거렸다. 그녀에게 다가갈수록 거리의 소음이 커졌다. 해묵은 이미지가 보이는 구석구석을 채웠다. 그리고 제법 가까운 거리에 횃불이 하나둘씩 보였다. 그리고 하늘 어둠 속 어딘가로 사라지는 회색 연기가 무거운 춤을 췄다.

그런 날이 있었던 거야. 우리가 모두 그런 것처럼, 사랑이 새겨진 유전자가 어딘가에 박혀 있잖아. 지독하게 누군가를 좋아하는 행위 말이야.

구불거리는 거리를 다시 지나친다. 점점 그녀와 가까워지고 있다. 그리고 마침내 화려한 조명이 감싸고 있는 매혹적인 건물 앞에 다가선다. 마치 로만 바스(Roman Bath)를 연상케 한다. 커다란 아치 지붕과 테라스가 보인다. 외벽을 장식한 아름다운 대칭과 정교한 조각. 입구에는 로마 황제와 총독으로 보이는 하얀 동상이 서 있다. 만남 앱이 표시한 그녀와의 거리는 불과 20m.

그녀는 여기에 있는 게 틀림없다.
당신의 어린 시절은 어떤가요?
저의 어린 시절?

사람들의 꿈을 늘 받기를 원했죠. 하지만 아시겠죠? 그렇지 않았기에 그러함에 갈증을 느끼는 상황을…그래서 그런지…어릴적부터 그다지 먼 미래를 바라보지 않고 있어요. 목표에 충실한 것도 아니고요. 그저 항상성을 유지하고 평형을 조절하는 거죠. 붓다가 그랬다고 그러더군요. 남에게 의지하지 말라고. 깨달음은 혼자 스스로 하는 거라고.

깨달음을 갈구하는군요?

아뇨. 정반대죠. 행복을 원합니다. 아주 행복하거나 황홀한 순간을 추구합니다. 사실 그 상태에서는 깨달음을 아예 생각조차 하지 않게 됩니다. 어쩌면 깨달음은 끝없는 절망의 심연에서 가능할지도 모르겠습니다. 난 뭔가 되고자 하는 욕망을 일찌감치 포기했어요. 하고 싶은 것, 이루고 싶은 것, 꿈, 미래 어느 것 하나 그다지 소원하지 않아요. 그냥 내 몸이 가는 데만 향할 생각이에요. 어쩌면 심하게 자유를 갈구한다고 봐야겠죠.

나는 건물 입구에 적힌 안내문을 바라봤다.

입장료 : 4시 이전에는 50유로, 이후에는 70유로

영업시간 : 일요일~화요일은 10시부터 새벽 4시까지

　　　　　　수요일부터 토요일은 10시부터 새벽 5시까지

나는 계산대에 가서 돈을 냈다. 여자는 생긋 웃으며 내 손목에 팔찌

띠를 채워준다. 그리고 키를 건넨다. 277번.

카운트를 지나 좁고 밝은 통로를 벗어나자 홀이 나타났다. 공간을 가득 채운 사람들. 여인들은 모두 알몸이었다. 나의 시선과 두뇌는 재빠르게 그들 하나하나를 스캔하고 평가한다. 지나치게 심장이 빨라진다. 신묘한 감미로움이 내 속을 채우고 넘쳐흐른다. 그리고 마침내 그녀와 눈이 마주쳤다.

익숙한 얼굴. 제나는 나를 보고 미소를 지었다. 그리고 그 순간, 알람이 울렸다.

'마침내 만나셨군요. 축하합니다. 행복한 시간이 되세요. 당신의 큐피드 보너스 점수 5만 점이 추가되었습니다.'

<끝>

남킹 스토리 2

브런치 스토리

남킹 컬렉션 #030

남킹의 음악과 글

브런치 스토리

남킹 컬렉션 #031

버스 44

낯킹 이야기

버스 44

<버스 44(車四十四)>라는 제목의 단편 영화가 있습니다. 실화라고 합니다. 대만 출신의 데이얀 엉(伍仕賢) 감독 작품입니다. 상도 많이 받은, 꽤 유명한 영화입니다. 저는 오늘에야 우연히 보게 되었습니다. 유튜브에 올라와 있으니 여러분도 무료로 손쉽게 보실 수 있습니다.

내용은 이러합니다. 한적한 시골길을 달리는 버스에 2명의 강도가 들어와 금품을 뺐습니다. 그리고 여성 운전사를 길옆으로 끌고 가 강간합니다. 그런데 승객들 누구도 나서서 말리지를 않습니다. 오직

한 청년만 강도에게 대항하다 상처를 입습니다. 이윽고 강도들은 달아나고 운전사는 돌아와 운전대를 잡습니다. 그리고 다친 청년도 버스를 타려고 합니다. 그런데 이상한 일이 벌어집니다. 운전사는 그 청년을 버려둔 채 출발합니다. 황망한 눈빛으로 떠나는 버스를 지켜보는 청년. 하지만 곧 그 이유를 알게 됩니다. 버스는 절벽에 추락하고 탑승객 모두는 사망하게 됩니다.

저는 이와 비슷한 설화를 읽은 적이 있습니다. 워낙 오래전이라 그 내용이 정확하지는 않지만 대략 이러합니다. 어느 한적한 시골 산길을 달리던 버스 앞에 호랑이 몇 마리가 버티고는 길을 터주지 않습니다. 참다못한 한 승객이 탑승객 중에 가장 연약한 이를 호랑이 먹이로 주자고 제안합니다. 그래서 결국, 한 어린이와 그의 어머니가 강제로 버스에서 내리게 됩니다. 그러자 호랑이는 길을 터줍니다. 버스는 출발하고, 남겨진 모자는 두려움에 떱니다. 하지만 이상하게 호랑이는 그냥 가버립니다. 그리고 얼마 뒤, 여러분이 예상하듯이, 버스는 절벽에서 추락합니다.

이 영화와 설화는 짧지만 긴 여운을 남깁니다. 버스와 죽음을 매개로 한, 충격적인 반전은 우리에게 뚜렷한 질문을 던집니다.

만약 당신이 저 버스의 승객이라면 어떻게 행동했을까요?

아마, 우리는 이 거북살스러운 물음에 선뜻 뭐라고 나서질 못할 것입니다. 하지만 모두가 수긍할 만한 정답은 이미 알고 있습니다. 모든 승객은 강도와 호랑이에게 대항해서 싸워야 했습니다. 그랬다면 이런 비극적 결말은 발생하지 않았을 것입니다. 그리고 우리는 그것이 정의라고 배웠습니다. 선한 마음을 가진 인간의 당연한 행위라는 것을 우리는 잘 알고 있습니다. 우리는 종종 매스컴을 통해, 위험을 무릅쓰고 가치 있는 일을 실현하는 의인을 접하며 아낌없는 박수를 보내곤 합니다. 혹은 횡포한 권력에 맞서, 당당하게 옳은 말을 하고 행동을 보여줌으로써, 민주주의를 꽃피우는, 역사적 사건들을 우리는 잘 알고 있습니다.

하지만 정작 나에게, 이런 일이 현실에서 닥친다면 과연 어떻게 될까요? 머릿속이 복잡해지기 시작합니다. 심적으로는 선뜻 나서고 싶지만, 흉악범이 휘두르는 칼에 자칫 목숨이 위태로울 수도 있습니다. 짧은 시간 속에, 수많은 분노와 갈등, 타협과 미안함, 부끄러움과 자기 위안, 기만과 같은 생각들이 범벅이 되어, 자신이 어떻게 해야 할지를 모르는, 혼란스러운 상태로 남게 될 것입니다. 그리고 이러한 일들은, 우리가 순간적으로 판단한 그 날의 행동에 따라, 자칫 후회와 죄송스러움을 간직한 채 평생 살아야 하는 결과로 이어질 수도 있습니다.

그렇다면 과연 우리는 무엇을 준비해야 할까요?

저는 이에 대한 해답으로, 제가 유럽에서 10년 넘게 살면서 겪었던 몇 가지 에피소드로 답하고자 합니다.

독일로 이주한 첫해의 일입니다. 노란 유채꽃의 물결이 곳곳에 펼쳐진, 그런 따스하고 즐거운 봄날이었습니다. 저는 꽤 먼 곳에 있는 회사를 방문하고, 자동차로 돌아오는 길이었습니다. 도로는 한산하기 이를 데 없었습니다. 어떤 구간은 10분을 넘게 달려도, 주위에 차 한 대 보이지 않았습니다. 저는 주변 경치를 감상하며 느긋하게 운전하고 있었습니다. 그런데 문득 연료 계기판을 봤습니다. 기름이 충분하지 않았습니다. 하지만 전혀 없는 것도 아니었습니다. 대략 2, 30km는 더 달릴 수 있는 양이었습니다. 저는 갓길에 차를 세우고, 내비게이션으로 가까운 주유소를 찾아 방문했어야 했습니다. 하지만 그러지 않았습니다. 그냥 달리다 보면, 한국처럼, 곧 주유가 가능한 휴게소가 나올 거라고 착각했습니다. 가도 가도 주유 표지판은 나타나지 않았습니다. 결국 차는 서서히 속도가 떨어지기 시작했습니다. 저는 갓길에 차를 겨우 세우고, 비상등을 켜고, 사고 삼각대를 설치했습니다. 해가 서서히 지기 시작했습니다. 독일어도 서툴러 어디에 전화를 해야 할지 난감했습니다. 그런데 그때 대형 트럭 한 대가 제 뒤에 멈추었습니다. 그리고 덩치 좋은 아저씨가 내리더니 상냥한 미소로 저에게 다가왔습니다. 저는 계기판을 보여줬습니다. 그는 알았다는 듯이 고개를 끄덕이고는, 여러 군데 전화를 걸기 시작했습니다. 그러자 얼마 뒤, 동료로 보이는 분이 기름을 한 통 들고 나타났습니다. 저는 눈물이 핑 돌 정도로 감사했습니다. 저는 사례를 하겠다고 했지만, 그분들은 극구 받지 않으시고는 그 자리를 떠났습니다.

이런 일도 있었습니다. 몇 해 전 여름, 비가 억수같이 쏟아지던 어느 날, 저는 폴란드 친구의 차를 얻어 타고 브로츠와프 시내로 향하던 길이었습니다. 저희는 갓길에서 차에 비상등을 켜고 초라하게 서 있는 청년을 보았습니다. 아무래도 차에 문제가 발생할 것처럼 보였습니다. 제 친구는 그를 보자마자 차를 세우고 그에게 가서 묻고는, 보닛을 열고 이것저것을 살피기 시작했습니다. 그런데 제 뒤에 또 다른 차량이 멈추더니 운전자가 달려 나와 그들과 합세하였습니다. 결국 서로 모르는 세 사람이 비를 쫄딱 맞으며 자동차를 고치기 위해 고군분투하는 모습을 저는, 놀라움과 미안함으로 쳐다봤습니다. 그리고 그때의 기억은 두고두고 아름다움으로 남았습니다.

그래서 저는 생각합니다. 매일 아침 우리가 눈을 떴을 때, 오늘 <나는 누군가를 도울 수 있다>라고, 작은 결심 한번 하고 하루를 시작하는 것은 어떨까요? 어쩌면 우리의 몸은, 마치 습관처럼 굳어진 우리의 마음씨에, 주저함이 없이 반응할 것입니다.

그레고리 흘라디의
묘한 죽음

남킹 장편소설

남킹 컬렉션 #001

거짓과 상상 혹은 죄와 벌

남킹 장편소설

남킹 컬렉션 #002

강물은 춤을 춘다. 1

학원 입구에 다다랐을 때, 새벽반을 끝낸 학원생들이 쏟아져 나왔다. 그들을 스칠 때마다, 미세한 바람결이 생동감 있게 다가왔다. 간간이 주부도 보이지만 대부분은 직장인이었다. 그들은 서둘러 그들의 목적지로 달려 나간다. 그들의 삶은 여전히 녹녹지 않다. 어린 학생 때부터 성인이 된 지금까지, 여전히 경쟁해 왔고 앞으로도 기약 없는 경쟁이 더 남아 있다는 사실을 잘 알고 있을 것이다. 풍요의 세대지만 여전히 살아가는 일은, 우리가 덧붙인 욕심만큼 수고스럽다.

낙향 후, 처음 몇 주 동안은 조급함과 상실감으로, 경쟁에 앞서기 위하여 무거운 가방을 메고, 또 그에 덧붙여진 무게의 중압감을 달고, 수 없이 다녔던 이 도시의 거리가 낯설기만 하였다. 늘 걷던 길의 끝 모서리, 저 언덕 너머 질리도록 새파랗게 펼쳐진 하늘과 섬세한 아름다움으로 늘 포화상태를 이루던 바다를 언제나 좋아하고 그리워했건만, 갈 곳이 없었던 나에게는 무념의 영상에 무채색으로 덧칠한 것으로 만 보였다. 나는 아무 생각 없이 아무렇게나 걸쳐 입고 이 거리 저 골목 발 닿는 데로 돌아다녔다. 소금기 먹은 겨울바람의 어스름 속에 떨면서, 불면에 시달린 눈동자를 붉게 물들이며, 불안에 흔들리며, 온몸은 쇠사슬을 엮은 듯 질질 끌면서 다니곤 했다. 그러다 바로 이곳. 영어학원 간판 앞에 무심코 멈춰 섰다. 긴 겨울이 끝나고 초봄이 시작되던 무렵이었다. 가로수의 잎은 아직 나지 않았지만, 바람은 따사로움을 안고 귓전을 맴돌았고, 학원 입구를 들락거리는 학생들 사이로 불어오는 열정이 생기 있게 파닥거리는 것처럼 느껴졌다.

나는 멈칫하다가 크게 한숨을 쉬고 조금씩, 마치 걸음마를 막 시작한 아기처럼, 발을 조심조심 떼면서 학원으로 들어갔다. 넓고 밝은 홀이었다. 바닥은 고르지 못한 격자 모양의 대리석이 깔려있었다. 그리고 같은 모습이 천장 거울에 반사되었다. 나는 고개를 들어 나를 보았다. 텁석부리 얼굴이 생소하게 느껴졌다. 넋이 다 빠진 창백한 모습이었다. 맞은편에 하늘거리는 멋진 제복을 입은 여자가 나를 보더니 방긋 웃었다. 그리고 조용히 내가 가까이 올 때까지 미소를 잃지 않고 기다렸다. 이윽고 그녀 앞에 마주 서게 되자 내게 물었다.

"영어 배우시려고요?" 건조되어 오그라든 장미 꽃병이 눈에 들어왔다. 당당한 그녀의 미소에서 왠지 모를 자부심에 대한 흔적이 느껴졌다. 나는 고개를 끄덕였다.

다음 날 나는 원어민 선생 앞에서 영어 테스트를 받았다. 고급 1단계를 배정받았다.
****
월요일 아침 지하철은 항상 어느 날보다 더 붐빈다. 시내 쪽으로 다가갈수록 수많은 사람이 내리고, 그보다 더욱 많은 사람이 늘 올라탄다. 사람들은 콩 시루 마냥 이미 빼곡히 찬 틈새를 용케 비집고 잘도 들어왔다. 전철 문이 열다 닫기를 반복하다 불안하게 닫혔다. 지하철은 그의 육중한 몸이 힘겨운 듯, 저음의 신음을 내뱉으며 서서히 다음 목적지로 이동하였다. 문가 쪽에 파리처럼 찰싹 달라붙어 파들거리던 나는, 어렵게 핸드백을 고쳐 들고, 버틸 수 있는 자세를 잡은 채, 불안한 시선으로 주위를 둘러봤다. 무표정한 남자와 여자가 저마다의 생각 속에 빠져 있는 듯하였다. 그러다 그들은 전철이 요동칠 때마다, 쇳소리에 맞추어, 마치 한 몸처럼 순간적으로 흔들어재꼈다. 덩달아 그들의 얼굴은, 몽환의 저편에서 막 숨 가쁘게 달려온 듯, 씰룩거리거나 이죽거리며, 다양한 표정으로 일그러졌다. 마치 고비사막의 짧은 우기에, 삽시간에 저마다의 모습으로 피어나는 수많은 야생화처럼….

인고의 세월을 땅속에서 숨죽여 지내다가, 살아가는 모든 생물의 유일한 목적인 자손 번창을 위하여, 재빨리 물을 빨아들이고 몸을 부풀려서 척박한 땅을 뚫고, 햇빛을 향하여 이파리를 내고, 곤충을 유혹할 꽃을 조상이 물려준 각자의 표정으로 분출한 그들은, 씨앗을 흩날리기 무섭게, 이내 또 갈라진 흙 속에 파묻혀, 다음 우기를 기약하며 꿈속으로 사라진다.

현수에게서 야생화 향기를 맡을 때가 있다. 그는 일정하고 무표정하며 관습적이고 사교적이지도 않았다. 하지만 그는 빈둥거리면서도 품의가 느껴지고, 태평하면서도 어느 순간 용의주도함을 풍겼다. 나는 그가 왜 좋은지를 모르겠고, 그도 나를 왜 좋아하는지 알려 주지 않았다. 물론 물어보지도 않았다. 아니 좋아하는지 안 하는지도 솔직히 모르겠다. 우리는 지겹도록 같은 요일에, 같은 모텔의 같은 호실에서 같이 있다가 그냥 헤어지고, 다시 또 만나 같은 곳을 또 갔다. 다음을 위한 약속은 할 필요가 없었다. 어차피 토요일 오후에 퇴근하면, 그는 항상 육교 건너편 길가에 서서 나를 물끄러미 바라다보고 있을 테니까.

그런데 나는 불안하다. 마치 사막의 죽은 씨처럼 미동도 하지 않는 그에게서, 나는 불길한 자태의 꽃내음을 순간순간 맡을 때가 있다. 그는 나와 같이 있지만 있지 않고, 나와 섹스하지만 하지 않는 것처럼 느껴질 때가 있다. 그는 학원 동료들과 당구장, 술집, 나이트클럽 등등을 빠짐없이 훑으며 쏘다니지만, 마치 딴 세상 사람처럼 이질적일 때가 있다.

그에 관한 이야기를 흘러가는 소문으로 주워듣고, 그의 존재를 어렴풋이나마 인식하게 될 때, 남자의 모습은, 옥상에서 담배를 피우거나, 도서관에서 영어 소설을 읽거나 혹은 시청각실에서 방송을 멍하니 바라보는 모습뿐이었다. 그리고 지금도 그 모습은, 나와 있을 때를 제외하고는, 바뀐 게 거의 없다. 단지 누군가 그를 이끌면 그는 따라갈 뿐이었다. 그곳이 무엇이든 개의치 않고.

그는 나를 정말 좋아하는 걸까? 아니면 그냥 아무런 감정이 없는 것은 아닐까? 어쩌면 우리는 그냥 만나고 섹스하고 헤어지는 것인지도 모르겠다. 정말 그럴지도 모르겠다. 남자는 그냥 뻐꾸기 둥지 위에 우연히 툭 떨어진 것일 수도 있으니까.

남킹 스토리 2

브런치 스토리

남킹 컬렉션 #030

남킹의 음악과 글

브런치 스토리

남킹 컬렉션 #031

강물은 춤을 춘다. 2

브런치 북그리

부장이 오기 전, 나는 어질러진 책상을 정리하고 바닥을 밀대로 닦았다. 휴지통을 비우고 새로운 비닐도 씌웠다. 그리고 탕비실에 무질서하게 뒹굴고 있는 컵을 세제로 깨끗이 씻었다. 전임자에게서 처음 교육받은 것이고 후임자에게 물려 줄 중요한 일이다. 나는 환기를 위하여 창문을 활짝 열고, 잠깐 항구의 배들과 그 위를 까옥거리며 날아가는 갈매기들을 쳐다봤다. 단조로운 울음이 마치 신세계를 연주하는 목관악기처럼 들렸다. 언제나 그들이 부러웠다. 나와 관계한 거추장스러운 사슬을 끊고, 끝없는 푸른 대양으로 훌훌 날아가고 싶었다.

훅하고 바다 내음을 담은 바람이, 얼굴을 할퀴고 지나갔다. 기름 냄새도 묻었다. 열어젖힌 창에 골이 난듯한 얼굴이 어른거렸다. 저 멀리서 들려오는 뱃고동 소리도, 저음으로 창문턱을 슬슬 넘어오고 있었다.

현수는 바다를 좋아한다. 좀 더 정확히 말하자면, 바다가 잘 보이는 곳을 좋아한다. 그래서 우리는 한동안 토요일이 되면, 산 중턱이나 언덕에 있는 모텔들만 찾아다녔다. 이 도시는 평지보다 산이 훨씬 많다. 해안선을 따라 크고 작은 산들이 제멋대로 솟아있고, 그 산들의 허리춤까지는 빼곡하게 집이나 건물들이 자리하고 있었다. 밤에 배를 타고 이곳을 처음 방문하는 외국 선원들은, 맨해튼보다 더

화려한 야경에 원더풀을 연발하곤 하였다. 물론, 날이 밝으면, 곧 실망으로 바뀌지만 말이다.

우리는 산동네를 운행하는 버스를 타고, 고불고불한 산복도로를 돌아다니다 마음이 닿는 곳이면 어디든지 잽싸게 내려서 마을을 둘러보았다. 식당이 있으면 밥을 시켜 먹고, 다행히 모텔이나 여관이 보이면 그곳에서 잠을 잤다. 그렇지 않으면 우리는 다음 버스를 또 기다렸다. 그러다 우리는 한마을에 고착하였다. 이곳은 마치 높은 성벽의 탑처럼 하늘에 맞닿아 있어, 어디에 위치하든 멀리 항구의 잿빛 바다와 배들이 보였다. 그리고 그 마을 한가운데, 십자 도로 옆에 자리 잡은 낡은 모텔은, 어느 방에서나 푸른 수평선이 창에 걸쳐있었다.

이곳을 처음 방문하던 날 밤, 남자는 나를 모텔의 옥상으로 이끌었다. 드물게 자물쇠가 채워지지 않은, 철로 된 옥상 문을 통과한 우리는, 곧 눈 앞에 펼쳐진 풍부한 야경 속에서 다양한 자세로 섹스를 즐겼다. 남자는 이곳이 마음에 든다고 하였다. 그러자 나도 이곳이 좋아졌다.

과장이 어느새 들어와 커피를 주문하였다. 그는 자주색 골이 파인

넥타이를 매고 있다. 처음 보는 거였다. 양복도 밝은 쥐색으로 바뀌었다. 그는 언제나 검거나 짙은 색의 옷과 넥타이만 하고 다녔다. 마치 가톨릭 사제가 입는 검은 수단처럼.

나는 공용 서랍에 수북한 동전 중 한 개를 꺼내 복도로 갔다. 그는 자판기 커피광이다. 그가 퇴근할 때쯤에는, 그의 책상 위에 버려진 종이컵이 수북하였다. 커피 자판기는 내가 관리한다. 내가 두 번째로 교육받은 일이다. 한 달에 한 번, 복도 양 끝에 놓인 자판기에서 동전을 수거하고 커피와 설탕, 프리마를 채우고 소독을 하였다. 수거한 동전은 한동안 서랍에 머물다 다시 자판기로 들어갔다. 즉 이곳 동전들은 서랍과 자판기만 들락날락할 뿐이다. 마치 나를 보는 기분이었다. 나는 평생 일과 돈의 굴레에서 벗어날 수 없을 것만 같았다.

나는 집안의 두 남자를 위해 빨래하고 청소하고 음식을 제공하였다. 그리고 직장의 두 남자를 위해 똑같이 청소하고 커피를 제공한다. 여러 가지 직종을 거쳐 봤지만, 기본적인 나의 의무는 바뀌지 않았다. 어쩌면 나는 서랍 속의 동전처럼 낯선 누군가가 나를 집어 가주기를 꿈꾸고 있는지도 모르겠다. 아니면 간 충의 알일 수도 있다. 양의 항문에서 나와 세상의 혼란스러운 풀숲에서 뒹굴며 기약 없는 숙주를 기다리는 것인지도 모르겠다.

****

　월요일과 목요일 저녁에 나는 두 학생의 집에 방문하여 영어를 가르친다. 그들은 형제로 각각 중학교 2학년, 고등학교 1학년이었다. 그 위로 누나가 한 명 있는데, 무슨 병인지는 모르겠지만, 머리카락이 다 빠진 상태로 집에만 틀어박혀 있었다. 시력도 안 좋은지 TV를 바로 코앞에 바짝 갖다 붙이고는 심각하게 들여다보곤 하였다. 어쩌면 우스꽝스럽기까지 한 모습이지만, 병의 심각성을 알려주는 것만 같아, 날이 갈수록 안타까웠다. 아버지는 선장인 듯, 큰 가족사진 속에, 멋진 제복을 차려입고 어색한 미소로 앉아 있었다. 그를 집에서 본 적은 없었다. 아마도 수개월이나 수년간 외국으로 다니는, 그런 큰 배를 타는 것 같았다.

　그들의 엄마는 소위 복부인이다. 아주 잘 나가는 것처럼 느껴졌다. 38층의 대궐만 한 아파트에 살고 있기 때문이다. 큰 엘리베이터의 문이 열리면, 대리석 입구가 쫙 펼쳐졌다. 부엌, 안방, 거실, 베란다에 이르기까지 새롭고 신기한 물건이 가득하고, 또한 호화롭기 짝이 없었다. 아버지의 직업을 유추할 만한 물건들도 보였는데, 거실에 거대한 바다거북과 붉은 새우 박제가 걸려 있고, 현관 입구에는 병 속에 갇힌 정교하기 짝이 없는 법선도 놓여 있었다.

　그녀는 오래전부터 우리 형제에 관한 이야기를 들었다고 하였다. 대도시지만 작은 규모의 모서리 동네에서, 삼 형제가 모두 우등생으로 명문대학을 진학했으니, 자식 둔 부모치고 흘러가는 얘기라도 한 번쯤은 귀담아듣지 않을 수 없었을 것이다. 학생의 엄마는 나와의 첫 대면 자리에서 긴 한숨으로 일관했는데, 자신이 이룬 놀라운 부에 대한 대단한 만족에도 불구하고, 병으로 학업을 중단한 딸과 성적이 밑바닥을 기는 아들들에 대한, 도저히 어떤 방법으로도 채울 수 없는 욕심의 한계에 절망한 듯이 보였다. 우리 사회는 돈과 학벌의 잣대 위에 세워지고, 신분이나 계급으로 정착되었으니, 그녀의 눈에는 아직 채워지지 않은, 혹은 채울 가능성이 희박한 학벌이 한스럽기만 할지도 모르겠다.

　그녀는, 돈은 얼마든지 줄 테니 아들의 성적만 올려 달라고 내게 부탁하였다. 아직 검증되지도 않은 나에게, 단지 학벌이 좋다는 이유만으로, 그녀는 맹목적으로 나를 신뢰하고, 자신의 기대치를 한 단계 높이려고 발버둥 치는 듯이 보였다. 그녀의 아들들은 사실, 숱한 과외선생과 학원들을 거친 상태였고, 또 지금도 그러하였다. 나를 포함하여 주요 과목 당 선생들이 따로 있었다. 그들 중에는 족집게 선생으로 유명한 이들도 있고, 심지어 학교 선생도 끼어 있었다. 선생들은 그들이 터득한 놀라운 비법으로 무장한 채, 정해진 시간에 이 가여운 학생들에게 찾아와 무차별 폭격을 퍼붓고 돌아가지만, 지금까지 이룩한 성과는 중하위권을 그나마 유지할 뿐이었다.

내가 본 바로는, 이 학생들은 놀라운 재능을 갖추고 있었다. 그들의 뇌는 선생의 설명을 듣는 동안, 기본적으로 반응해야 할 동작을 적절한 시기에 적당하게 표현하는 데 약간 할애할 뿐, 그 외 나머지 대부분은, 학교 수업에서나 과외 수업에서나 할 것 없이, 상상 속의 세상을 노닐고 있었다. 우리 세상에서는 이게 가능한 일이었다. 책상에 앉아, 눈만 선생을 향하고 있으면 무사통과가 되니깐 말이다. 그러나 나는 말을 잘하지 못하였다. 더욱이 설명도 잘못했다. 도대체 누구를 가르쳐 본 경험도 전혀 없었다. 학생들과의 첫 대면은, 긴장 속에 뻣뻣한 선생과 너무도 익숙하여 무심하기까지 한 학생으로 시작하였다. 그러나 그들은 곧 깨달았다. 그들이 지금까지 거쳐온 선생들과 확연히 다른 나의 존재를….

그래서 그들은 당황할 수밖에 없었다. 나는 영어에 관해서 어느 것도 설명하지 않았다. 나는 그저 시켰다. 영어 교과서를 펼쳐 놓고는, 읽고 해석하라고 했다. 모르는 단어는 사전에서 찾아보라고 했다. 놀랍도록 엉성한 그들의 발음만큼이나 해석은 엉망이었다. 그렇다고 잘못된 해석을 그냥 무상으로 고쳐 주지도 않았다. 사전을 뒤

저보고 다시 생각해보라고만 했다. 그러자 그들은 이제껏 익숙하지 않았던 새로운 환경에 불편해했고, 그동안 사용하지 않았던 머리를 굴리느라 끙끙거리기 시작했다. 당연히 진도는 느리게만 나갔다. 학생들은 어쩌면 생애 처음으로 그들 스스로 이 난국을 헤쳐 나가기 위하여 모든 뇌세포를 집중하지 않으면 안 된다는, 전혀 예상하지 못한 현실에 마주하게 된 것이었다. 학생들에게 시간은 아마 무척 더디게 흘러갔을 것이다. 반면에 나는 짧은 몇 마디의 말로 2시간을 수월하게 채울 수 있었다. 내가 뱉은 말은, 아냐 다시 생각해봐, 틀려서 혹은 나아졌어, 정도가 고작이었다.

그들에게, 말을 하지 않는 이상한 선생의 출현은, 그동안 견고하게 쌓아온 그들의 수업방식의 근간을 흔들어 놓았을 것이고, 당황한 그들은, 그들의 엄마에게 선생에 대한 각종 험담을 늘어놓았을 것은 자명한 사실이었다. 그래서 어쩌면 그녀는 약간의 의구심을 가지게 되지만, 턱없이 비싼 유명 강사를 붙여도 실패한 전례가 있는지라, 어쩌면 몇 달 정도는 지켜보기로 하였을 것이 틀림없었다. 그리고 몇 달 뒤, 학생들의 영어 성적은 놀랍게 향상되었다. 너무도 당연하게. 학생 엄마의 나에 대한 신뢰는 굳어지고, 수업 시간도 늘고 수업료도 대폭 올랐다. 어쩌면 나는 이 세상에서 가장 편하게 돈을 벌고 있는지도 모르겠다.

미자가 한 달 동안 열심히 회사에 다녀서 번 돈 만큼을, 나는 일주일에 두 번, 각각 3시간의 과외로 벌었다. 세상은 돈과 학벌이 지배하고, 나는 그 틈에서 수혜의 꿀을 빨아 먹고 있었다. 나는 만족하게 되고 안주하게 되었으며 이기려고 달려드는 세상에서 비켜 나와 천천히 걷고, 먹고 싶은 것만 먹고, 그녀를 만나 섹스하는 것에만 몰두할 뿐이다. 그뿐이었다.

그레고리 훌라디의
묘한 죽음

남킹 장편소설

남킹 컬렉션 #001

거짓과 상상

혹은

죄와 벌

남킹 장편소설

남킹 컬렉션 #002

강물은 춤을 춘다. 3

퇴근할 때쯤, 남자에게서 오랜만에 전화가 왔다. 사무실에 오는 모든 전화는 내가 가장 먼저 받는데도, 남자는 전화를 잘 하지 않았다. 아니 잘 못 한다고 해야겠다. 전화를 받고 몇 초간 숨소리만 들리면, 나는 그인 것을 눈치채고는 부드럽고 상냥한 어투로 천천히 말을 했다. 그러면 그는 안심이 되는지, 간략하게 목적만 전달하고는 끊는 것이었다.

　저녁을 먹지 말고 볼링장으로 곧장 오라 하였다. 과외비를 받았으니 사겠다고 하였다. 처음 사귄 후 몇 달 동안은 줄곧 내가 돈을 냈다. 남자는 무직이고 거의 빈털터리로 지내면서도 돈 벌 생각은 하지 않았다. 매일 조금씩 타내는 그의 용돈에서는, 담뱃값과 라면, 김밥 정도밖에 충당이 되지 않는 상황이었고, 나 또한 말단 여직원이 받는 쥐꼬리만 한 봉급이 다였기에, 우리는 편의점에서 산 간단한 음식을 싸 들고 여관에서 주말을 보내기 일쑤였다. 그리고 그마저도 버거웠다. 그러다 남자는, 내가 내는 일방적 데이트 비용에 대한 미안한 마음이 컸던지, 어느 날 학생을 가르치게 되었다고 하면서, 내게 그가 받은 한 달 수업료를 주는 거였다. 한 푼도 안 빼고, 그리고 다음 달에도 그다음 달에도 빠짐없이 꼬박꼬박 내게 주었다. 그러더니 어느 날부터는 더욱 많은 돈을 내게 주기 시작하였다. 현수가 받는 돈은 이제 내가 버는 돈보다 더 많았다. 하지만 맡겨두고 찾아가는 돈이 더 많을 때가 가끔 있었다. 하지만 나는 뭐라 하지 않았다. 남자는 돈에 무관심하고, 나는 그 무관심에 안심이 되는 것이다.

　그는 대개 기품이 있어 보였다. 적어도 나와 관계된 사람들에 비교하자면 그렇다. 그는 넓은 세상의 주변에서 살기보다는, 자기만의 작은 세상의 중심에서 살아가는 듯이 보였다. 그는 삶의 한 가닥도 놓치지 않으려고 아등바등 경쟁하며 살아야 하는 우리 세상을, 그저 낮은 눈으로 바라보는 방관자처럼 보였다. 또한, 그는 우리가 아니라고 우기기도 하지만, 실상 우리 삶을 지배하는 돈에 대한 과도한 욕망에서 살짝 비켜 나온 듯 홀가분해 보이기도 하였다. 그는 있으면 쓰고 없으면 말고 식이다. 참으로 편리하기 그지없다. 그에 반하여, 나는 현재라는 좁은 발판 위에서 끝없는 돈에 대한 갈증으로, 균형을 유지하는 것이 참으로 어려운 일이어서, 자꾸만 발을 헛디디고 고통 속으로 떨어지기가 일쑤였다. 풍족한 적이 없었다는 것과 또 앞으로도 풍족할 가능성이 별로 보이지 않는다는 생각 말이다.

****

　볼링장 입구에 꾸며놓은 분수대에 작은 새가 물을 사방으로 흩뿌리며 목욕을 하고는 쏜살같이 날아갔다. 이런 탁한 도시에 아직도 새가 산다는 게 신기하게만 느껴졌다. 엘리베이터를 타고 5층에 내렸다. 볼링장 문을 열자 둔탁한 공 굴리는 소리와 핀 부딪히는 경쾌한 소리가 몰려왔다. 동시에 시원한 에어컨 바람이 얼굴을 마구 헤집었다.

현수가 보였다. 예의 고급반 스터디 멤버들과 함께 있었다. 남자가 나를 보고 손을 흔들었다. 그러자 모두가 나를 일제히 쳐다봤다. 그들은 익숙한 얼굴들이었다. 남자에겐 친구가 끊이지 않았다. 그렇다고 많은 것도 아니고 친밀한 것도 아니었다. 어떨 땐 줄곧 혼자고 어떨 땐 줄곧 같이 있었다. 마치 그는 내게 풀리지 않는 매듭처럼 느껴지는, 소원함 대 친밀함, 혹은 융합 대 개별의 문제를 너무도 쉽게 해결하는 것처럼 보였다.

멤버 중엔 여자들도 있다. 오늘은 그중 한 명만 보였다. 그녀는 꼭 낀 스트레이트 팬츠에 <I Love NY>이 새겨져 있는 티셔츠를 맵시 있게 걸치고 나왔다. 바싹 마른 체형에 반짝이는 작은 이마와 뾰족한 턱선이 마치 모딜리아니의 목이 긴 여인처럼 보였다. 여자가 무거운 공을 힘겹게 던지며, 돌아서서 애써 가쁜 숨을 골라 뱉으며 나를 쳐다봤다. 그녀는 중동의 열사 지방에서 태양을 한껏 받은 듯, 하얀 얼굴이 빨갛게 익었다. 여자와 눈이 마주치자 나는 시선을 딱히 고정할 수가 없어서 주위를 둘러보는 척했다. 나는 이 여자를 좋아하지 않는다. 그녀 때문에 현수와 심하게 다툰 적이 있기 때문이다. 지지난달에 스터디 회원들끼리 수영장을 다녀온 적이 있는데, 나는 그들의 사진 속에서 이상한 공통점을 발견하였다. 현수 바로 옆에 이 여자가 유난히 많이 등장하는 것이었다. 그것도 패션 잡지에서나 볼 듯한, 야하기 그지없는 비키니를 입고선. 내가 이 사실을 지적하자 남자는 피식 웃기만 했다. 그 모습이 순간, 마치 '속 좁은 인간은 어쩔 수 없어' 하는 듯한 빈정거림으로 비쳤다. 적어도 내겐 그랬다. 그래서 마구 화를 냈다. 속 좁은 인간의 특권인 양, 그동안 담아 두었던 아주 사소한 불만까지 덤터기로 쉴 없이 쏟아부었다. 그리곤 참을 수 없는 침묵이 찾아왔다. 남자는 거의 한 달 동안 나를 찾지 않았다. 그래서 마침내 내가 사과했다. 우리의 싸움은 항상 이런 식이었다. 나만 화를 내고 나만 사과를 하였다. 그는 절대로 나를 어르고 달래지 않았다. 그냥 두고 볼 뿐이었다. 언제까지나. 나는 차라리 핍박이라도 당해 봤으면 하고 느낄 때가 있었다.

****

　남자와 같이 늦은 저녁을 먹기 위해서 빌딩을 나왔다. 시커먼 하늘 사이로 흐릿한 달빛이 흘러갔다. 뒷골목으로 들어섰다. 인적이 없는 길에 바람만이 형상 없는 손님처럼 왔다 가며, 잡동사니를 뿌리고 다녔다. 골목을 가득 채운 많은 식당이 이미 문을 닫았거나 닫으려고 하고 있었다. 갑자기 빡빡한 인심과 조급한 안달로 가득한 도시가 홀연히 사라진 것처럼 보였다. 우리는 입구에 연기가 모락모락 피어나는 식당으로 들어가 가장 빨리 나온다는 순댓국을 주문했다. 과연 종업원 말대로 번개처럼 음식이 차려져 나왔다. 나는 허기로 쓰러지기 직전인지라 염치 불고하고 정신없이 배를 채웠다. 그렇게 허겁지겁 먹다가 순간, 나는 남자가 먹는 모습을 쳐다봤다.

내가 좋아하는, 이 남자를 나는 보고 있다. 그리고 나는, 잃어버릴지도 모르는 덧없는 것을 두려움 없이 감싸 안는 것이 얼마나 힘든가를 지금 느끼고 아파하고 있다. 남자의 세상에 내가 너무 속물다운 걸까? 아니면 속물다운 세상에 내가 너무 충실한 걸까? 그도 아니면 우리는 그냥 단지 다른 세상에 존재하는 걸까?

신의 땅 물의 꽃

남킹 장편소설

남킹 컬렉션 #003

섬행

님킹 장편소설

님킹 컬렉션 #004

강물은 춤을 춘다. 4

늦은 저녁을 한 후, 우리는 다시 친구들이 있는 곳으로 갔다. 예전 소주 공장 자리였던 이곳은 이제 20층짜리 현대식 빌딩으로 변모하였는데, 지하 1층부터 지상 5층까지 각종 위락시설 및 상가, 병원들이 들어차 있고 나머지는 오피스텔로 되었다. 그리고 옆에는 좁지만 더러운 강이 흐른다. 아마 내가 지금까지 본 강 중 가장 더러울 거다. 시커멓게 썩어 문드러진 이곳은 여름에는 심한 악취도 올라왔다. 사실 강이 흐른다는 느낌도 들지 않았다. 이곳은 어머니가 결혼 전까지 반평생을 보낸 마을이고, 또 내가 지금 사는 곳에서 얼마 떨어져 있지도 않다. 심지어 내가 다닌 고등학교도 이 마을에 있다. 어머니의 믿기지 않는 말에 의하면, 예전에는 여기서 빨래도 하고 멱도 감았다고 하였다.

언제부터 세상에서 가장 더러운 강이 되었을까? 이곳을 버스를 타고 지나칠 때마다 한 번씩 물어보곤 하던 질문이었다. 어릴 적 들은 소문에는 이런 것도 있다. 버스가 강으로 굴렀다고 한다. 큰 사고는 아니었는데 한 사람이 죽었다고 한다. 다쳐서 죽은 게 아니라 이 강물을 마시고.

오피스텔과 마을을 이어주는 큰 다리가 최근에, 좀 더 바다와 가까운 곳에 놓였다. 사실 이곳은 강의 끄트머리 즉, 바다와 이어진 곳이다. 예전 다리는 난간도 없고 아주 좁았다. 고등학생 때, 이곳을 건너야만 했던 적이 몇 번 있었는데 무척 떨었던 기억이 났다. 바다가 시작되는 곳에는 온갖 종류의 배들이 떠 있고, 내가 사는 동네까지 길게 현대식 접안시설이 갖추어진 부두가 이어져 있다. 부두 옆에는 좁은 기찻길이 있고 그 옆에는 2차선 도로가 있다. 이 도로에는 쉴새 없이, 컨테이너를 실은 트레일러들이 쿵쾅거리는 소리를 내며 오고 간다. 가끔 기차가 다닐 때도 있는데, 아주 느린 속도로 움직이기 때문에, 어릴 때 나는 형과 이 기차에 매달려 놀곤 했던 기억이 있다.

내가 간직한 가장 오래된 기억은, 이 기찻길을 따라 형과 함께, 어머니가 근무하는 봉제 공장을 찾아갔다는 거다. 좁고 낡았던 그곳을 어떻게 알고 찾아갔는지는 모를 일이지만, 생생하게 기억하는 부분은, 솜털 같은 게 무수하게 떠 있는 공간 위로 실뭉치들이 조롱조롱 매달려 있고, 그 뭉치에서 뻗어 나온 실들이 털털거리며 재봉틀 속으로 빨려 들어가는 거였다. 어머니는 처녀 시절부터 이 일을 했고, 결혼 후 한동안 그만두었다가 아버지가 폭행 사건에 연루되어 교도소에 들어가는 바람에 다시 하게 되었다. 이후 어머니는 독립하여 조그마한 옷 수선 가게를 하게 되었는데, 그마저도 사양길에 접에 들자, 이모의 도움을 받아 지금의 채소 가게를 열게 된 것이다.

우리는 빌딩 지하에 있는 노래방으로 갔다. 방음이 된 두터운 문을 슬그머니 열자, 돼지 멱따는 고성이 뭉치로 여기저기서 몰려다녔다. 계산대에 앉아 있던 주인아줌마가 우리를 알아채고는, 친숙한 웃음으로 방 번호를 알려주었다. 7번 방으로 들어가자 사람들의 시선이 일제히 우리에게 쏠린 듯하더니 삽시간에 흩어져 버렸다. 두 사람은 번갈아 가면서 노래를 부르고 나머지는 옆에서 각자의 방식으로 몸을 흔들어 대고 있었다. 탁자에는 맥주 맛 음료 캔들이 찌그러진 채 흩뿌려져 있고, 어묵 국그릇엔 대파 쪼가리만 둥둥 떠다녔다. 울긋불긋 천천히 돌아가는 싸이키 조명 빛 사이로 부유 먼지들이 둥둥 떠다녔다. 그 속으로 생기발랄한 젊은이들이 폴짝거리며 헤매고 다녔다. 즐거운 인생이다.

노래방을 나오자 비가 바람과 함께 내려왔다. 굵은 빗방울은 머리에 떨어지지 않고 얼굴을 때렸다. 미자는 찡그린 얼굴로, 뭐라고 새롱거리며, 핸드백을 황급히 열더니 양산을 꺼내 내 머리 위에 씌워주었다. 별 소용은 없지만, 그런대로 버스 정류장까지 가는 데에는 앞가림은 틔워주고 있었다. 밤의 상크름한 공기가 가슴 속을 훑어 내렸다. 걷다가 문득 바라본 하늘 속으로, 저 멀리 검은색을 띤 구릉 지대가 흐릿하게 보였다. 맑은 날에는 굽이치는 능선에 부드러운 곡 선으로 하얗게 색칠한, 내가 다녔던 고등학교가 선명하게 보이겠지 만, 지금은 온통 숲처럼 음산하게만 보였다.

버스 정류장에서 작별 인사를 하자, 비를 맞은 여자의 얼굴에 까 닭 모를 슬픔과 애잔함이 느껴졌다. 빗물인지 눈물인지 알 수 없는 물방울이 쭈르륵하고 그녀의 눈에서 흘러내리다 볼에 송골송골 맺히 는 것을 보았다. 그 물이 수정처럼 반짝거렸다. 그 빛을 여자가 손으 로 훔쳐냈다. 그러자 갑자기 강이 보고 싶어졌다. 그래서 나는 여자 와 우산을 남겨 둔 채, 곁눈질하며 다리가 있는 쪽으로 천천히 걸어 갔다. 비는 계속해서 얼굴을 강하게 때렸다. 나는 비를 맞으며 바람 에 비틀거리며, 유년 시절부터 두려움의 대상이었던, 그 다리로 갔 다.

나의 플란넬 바지가 비에 흠뻑 젖어 허벅지에 찰싹 달라붙었다. 다리 입구에 도착하여 내려다본 검은 강물은 춤을 추고 있었다. 언 제나 죽음처럼 미동도 하지 않던 그 썩은 물이 오늘은 덩실덩실 춤 사위를 하고 있었다. 나는 호기 있게 난간도 없는 좁은 그 다리를 건너기 시작했다. 바람은 내 몸을 심하게 흔들고, 비는 내 뺨을 거칠게 갈렸다. 발아래 강물은 검은 아귀처럼 입을 쩍쩍 벌리고 있었다. 그리고 나는 깨닫기 시작했다. 내가 두려워했던 이 다리가 생각보다 넓다는 사실을. 그리고 나는 바람에 비틀거리지만 넘어지지 않는다는 사실을.

다리를 건넌 후 뒤돌아봤을 때, 어느새 뒤따라와 건너편 다리 입구에 선 미자를 보았다. 여자가 다시 오라고 손짓하는 것 같았다. 하지만 나는 그냥 물끄러미 바라볼 뿐이다. 마치 레테의 강을 건넌 것처럼.

끝 -

리셋

Reset

남킹 SF 소설집

남킹 컬렉션 #010

그레고리 흘라디의 묘한 죽음

남킹

남킹 컬렉션 #001

남킹 컬렉션 #002

거짓과 상상
혹은
죄와 벌

남킹 장편소설

신의 땅
물의 꽃

남킹 장편소설

남킹 컬렉션 #003

심해
DEEP SEA

남킹 SF 장편소설

남킹 컬렉션 #004

남킹 컬렉션 #005

당신을 만나러 갑니다

남킹 사랑 이야기

블루 드래곤
744

남킹 대본집

남킹 컬렉션 #006

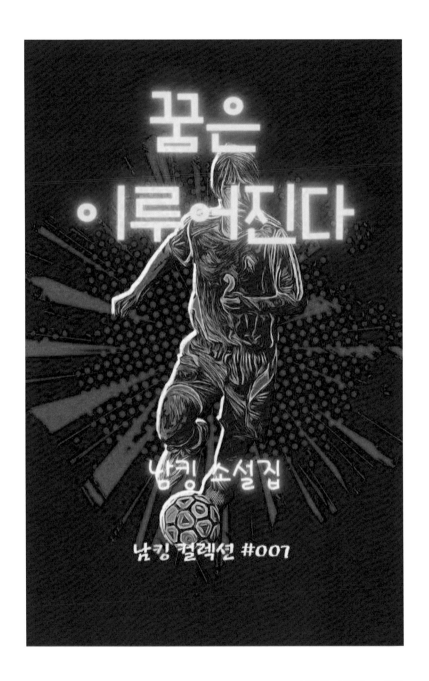

꿈은
이루어진다

남킹 소설집

남킹 컬렉션 #007

파벨 예언서

떠오르는 위협

남킹 장편소설

남킹 컬렉션 #008

떠날 결심

남킹 미니픽션

남킹 컬렉션 #009

리 셋
Reset

남킹 SF 소설집

남 킹 컬 렉 션 010

남킹 컬렉션 #011

1월의 비

남킹 감성 소설집

남킹 컬렉션 #012

남킹의 문장 1

언어의 마법사 남킹의 문장들

남 킹 컬 렉 션 #013

남킹의 문장 2

언 어 의 마 법 사 남 킹 의 문 장 들

남킹의 문장
3

언어의 마법사 남킹의 문장들

남킹 컬렉션 #014

남 킹 판 타 지 소 설 집

하니은 매화

남 킹 컬 렉 션 #015

남킹 컬렉션 #16

남킹의 문장

4

남킹 컬렉션 #017

스네이크 아·일랜드

1권

죽고싶지만 복수는 하고 싶어

남킹 판타지 스릴러

남킹 컬렉션 #018

천일의 여황제

세빈의 남자

남킹 판타지 소설

남킹 컬렉션 #019

이방인

남킹 장편소설

거리를
비워두세요

남킹 음악에세이

남킹 컬렉션 #020

사랑 그 쓸쓸함 에 대하여

남킹 음악산문

남킹 컬렉션 #021

남 킹

남킹 컬렉션 #022

알리칸테는
언제나 맑음

남킹 에세이

남킹 컬렉션 #023

길에 내리는
빗물

남 킹 소 설 집

남킹 컬렉션 #024

서글픈
나의 사랑

남 킹 장편소설

남킹 컬렉션 #025

남킹 SF
소설집

브 런 치 스 토 리

남킹 컬렉션 #026

버스 믿페녀

남킹 슬픈 이야기

남킹 컬렉션 #027　　　소설집

브런치 스토리

남킹 사랑 소설집

남킹 컬렉션 #028

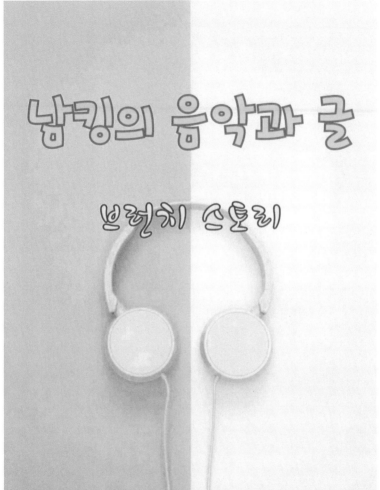

남킹의 음악과 글

브런치 스토리

남킹 컬렉션 #031